Pôle**fiction**

Paule du Bouchet

À *la vie*
à la mort

Gallimard

Pour Faustine et Pierre

Le noyer

Attablé devant une bouteille presque vide, le vieux Florent a les bras croisés. Du vin de noix, de la maison. Cela fait des années qu'il le prépare lui-même, chaque été, avec les noix vertes de l'arbre géant, là-bas, au bout du terrain. Cela donne une liqueur un peu âcre, un peu sucrée, que l'on boit à petites gorgées. Il y a une heure, la bouteille était aux trois quarts pleine ; elle est aux trois quarts vide.

En face du vieux, de l'autre côté de la table, les deux hommes se font insistants.

– Il faut le couper, père Florent, il n'y a pas d'autre moyen. L'opération Aile bleue en dépend, avec elle la survie du maquis Ventoux, la protection de centaines de civils !

Nous sommes à l'automne 1944. Le débarquement allié a eu lieu voici quelques semaines. Les Allemands sont aux abois. Partout, la résistance s'organise et se renforce.

Le vieux Florent a baissé la tête. Les avant-bras sur le plateau de chêne, il semble s'enfoncer tout entier dans la table. Les épais sourcils se froncent, il secoue la tête lentement.

– Non, ce n'est pas possible. Ce noyer, mon arrière-grand-père était gosse qu'il était déjà là. Il y était avant la maison, cet arbre ! Non. C'est non !

– Père Florent, il faut que vous compreniez. Les avions alliés n'ont pas d'autre lieu pour parachuter des armes au maquis. La dernière bataille va se livrer dans les jours qui viennent, celle qui donnera enfin la victoire à la France, l'opération Aile bleue, ici sur le plateau d'Esparrès. Votre terrain des Pleaux est le seul à des dizaines de kilomètres à la ronde qui permette à des avions de parachuter des armes et des hommes. Et cet arbre en plein milieu du champ ! Bien sûr qu'il est magnifique ! Mais la vie d'un arbre contre celle de centaines de gens… ! On vous indemnisera, père Florent.

– Ça n'a pas de prix, un arbre comme ça, grommelle Florent. Ça vaut plus que dix vies d'homme, que vingt vies d'homme ! Un noyer qui a peut-être quatre cents ans !

Tout à coup, il est debout et il hurle :

– Oh, et puis foutez-moi le camp !

Sa chaise est renversée sur le carrelage de la salle.

– Foutez-moi le camp, je vous dis, et que je ne vous revoie plus jamais ici… Sinon je vous descends à coups de fusil !

De son poing, il a frappé la vieille table, si fort que la bouteille a roulé, s'est brisée sur le sol.

Le capitaine Gustave s'est levé, posément. Debout, il a l'air d'un géant. Il sort un calepin de la poche de sa veste bleue en gros drap, en arrache une petite feuille. Ses gestes calmes contrastent avec la colère du vieux Florent. Penché sur la table de chêne, il griffonne quelques mots, pose le plat de sa main immense sur le petit bout de papier :

– Si vous changez d'avis…

Les deux hommes sont partis. Du bout du plateau, alors qu'ils s'engagent rapidement dans la sente odorante qui, à travers l'épais maquis, serpente jusqu'au village en contre-bas, ils entendent encore des éclats de voix. Une porte claque.

Quelques jours plus tard, le vieux Florent est sur le pas de sa porte. C'est une fin d'après-midi, radieuse comme parfois elles le sont en octobre, à l'approche de la Saint-Martin. Ce matin, il a fait à pied le kilomètre qui le sépare du village par le sentier du maquis, comme chaque lundi, pour acheter son journal, son pain et son paquet de tabac. En bas, il a entendu des rumeurs. Les Allemands auraient exécuté des civils au village de Vesnes. Il n'a pas prêté l'oreille. Depuis la mort de sa Victorine, il y a quinze ans, il ne parle plus à personne. Il n'écoute pas, non plus. Il s'est absenté du monde.

À présent, il est assis sur son banc devant le seuil de sa maison, il goûte la douce chaleur de la pierre, les derniers rayons du soleil lui font plisser les yeux. Il regarde avec un fin sourire la vigne dorée à point dont les premières grappes brillent à quelques mètres de lui. Bientôt, on vendangera. Émilie et son fils, le Marcelin, qui va sur ses dix ans, viendront lui donner un coup de main. Ce sont bien les seuls à monter jusqu'à la ferme des Pleaux. Émilie est sa nièce, la fille de la sœur de Victorine. La seule de toute la famille de sa femme à avoir gardé des liens avec le vieux Florent, l'ours de la montagne. Des liens qu'il n'a jamais cherchés. Au contraire. Piquant comme le maquis, brute parfois, tournant le dos quand on le salue, accueillant le visiteur par un «C'est pour quoi?» tonitruant à décourager le plus entreprenant, le vieux Florent a réussi à faire le vide autour de lui. Des enfants, il n'en a pas voulu, ou n'a pas pu en avoir, on ne sait trop.

Émilie, elle, n'a jamais pris en mauvaise part l'humeur méchante du vieil oncle bourru. Toute petite, elle montait aux Pleaux avec ses parents, chaque dimanche. Elle avait dix ans quand sa mère est morte, écrasée par une charrette de foin, et quinze quand cette gentille tante, toute menue, toute tendresse, qui vivait avec un homme des bois dans un endroit oublié du bon Dieu, était partie à son tour. Après, elle avait espacé les visites à l'oncle. À vingt ans, lorsqu'elle avait eu Marcelin d'un «père inconnu», elle avait fait le chemin des Pleaux pour présenter le petit. L'enfant avait arraché au vieux Florent son premier sourire depuis des années. Par la suite, ils étaient montés régulièrement, dès les premiers beaux jours.

Le petit s'était attaché au vieil homme. Et Florent aimait cet enfant. Il l'aimait, tout simplement. Voici deux ans, il avait proposé à la mère et au fiston de rester quelques jours pour l'aider à vendanger son carré de vignes. L'année suivante, ils étaient revenus. Ils seraient là dans quelques jours.

Posément, le vieux Florent bourre sa pipe. Sur sa gauche, le vieux noyer dresse sa masse sombre contre le ciel. Avec des gestes lents, le vieux sort une allumette de sa boîte, la fait craquer, allume sa pipe, étend ses jambes, déplie son journal.

« Huit civils massacrés au village de Vesnes ». Le titre a dansé quelques secondes devant ses yeux avant d'accrocher son regard. Vesnes, c'est tout près, à quelques kilomètres seulement du village d'Esparrès, sur la commune. À présent, il lit les petits caractères qui défilent dans la colonne du journal. Les Allemands ont fait une rafle. Une opération de représailles contre des actes de résistance. Par ici, la résistance est active, forte. En cette année 1944, les Allemands sont comme des guêpes chassées du nid. Ils ont exécuté huit otages, dont deux femmes et deux enfants. Des otages, des enfants… Tout à coup, les noms qu'il vient de lire se brouillent devant ses yeux. Il s'est levé, l'air hagard. Émilie et le petit Marcelin… Abattus devant le mur de l'école, avec les autres.

Lentement, le vieux Florent a replié son journal, l'a posé sur le banc. Le soleil disparaît derrière la colline. Marcelin, petitou, Émilie… Florent a un sanglot sec. Ça fait un drôle de bruit, comme si ça ne venait pas de lui. Il n'a pas pleuré depuis plus de quinze ans.

Le soir est tombé. À présent, il marche sur la sente rocailleuse, la draille où passent les troupeaux quand l'hiver approche et qu'il faut descendre de la montagne. Au fond de la poche profonde de son pantalon, le vieux Florent serre dans son poing fermé un petit bout de papier où se trouve écrit un nom codé : « L'Aile bleue, chemin de croix ». Il sait où aller.

Après deux heures de marche, il est devant la vieille croix des bergers, là où plusieurs chemins de draille se croisent. La nuit est claire. Le maquis sent le genévrier et le romarin, le vent balaie le plateau par rafales. À quelques pas de là, une vieille charrette à foin toute cassée laisse flotter dans le vent un grand pan de bois bleu. De ce bleu franc, inimitable, dont sont peintes les charrettes et parfois les volets dans les pays de soleil. Comme une aile. Florent engage quelques pas hésitants dans la direction montrée par l'aile bleue. Puis il s'arrête. Le maquis n'est plus qu'une ombre dense. Soudain s'en détache une silhouette noire qui marche sur Florent.

– Alors ? souffle l'homme.

– Allez-y, vous pouvez y aller ! Coupez-le ! Coupez le noyer ! Florent a parlé d'un trait.

Enfin. Enfin ! Le capitaine Gustave a serré

le vieux dans ses bras. Un instant seulement. L'urgence est là, qui talonne. Il faut agir vite. Les Allemands sont rendus fous par la défaite. En pleine nuit, douze hommes guidés par le vieux Florent reprennent la direction du plateau de Sault.

Les coups sonnent mat dans l'air froid de la nuit. Chaque coup de hache entaille le cœur du vieux. Du banc où il s'est assis, il entend gémir son noyer. Non, c'est le vent. Un nouveau coup de hache, sa poitrine se serre, lui fait mal. Il pense à Marcelin, tombé devant le mur de l'école à dix ans. Ce noyer-là aura vécu quatre cents ans. Quatre cents ans !

Les hommes travaillent sans un mot. Seul un « Han ! » accompagne parfois le coup. Les étoiles clignotent à travers l'épais feuillage. Florent regarde le ciel. Et puis tout à coup, insensiblement d'abord, lentement, puis irrévocablement, le noir feuillage balaie le ciel d'octobre. Florent ferme les yeux. Dans un ultime et terrifiant craquement, l'arbre cède.

Quand Florent ouvre les yeux, son compagnon de toujours est couché sur le sol, fantastique géant noir qui invective encore la nuit de ses immenses ramures. Florent a les yeux secs. Simplement la poitrine dans un étau.

À présent, les hommes débitent les énormes branches ; d'autres ont déjà entaillé le tronc. Il faut aller vite. Cinq autres hommes s'acharnent sur la gigantesque souche qui mange le terrain sur plusieurs mètres de diamètre. Il faut creuser autour des énormes racines, les sectionner le plus profondément possible. Le capitaine Gustave s'est attaqué à la plus grosse d'entre elles, un monstre d'un mètre de diamètre. Elle semble partir vers le bord du plateau. Avec deux hommes, le capitaine a déjà dégagé une dizaine de mètres de terre de part et d'autre de ce tentacule. La racine a encore le diamètre d'une roue de voiture. Cinq mètres encore, puis trois, elle n'a plus que l'épaisseur d'une cuisse d'homme, puis d'un bras. Les travailleurs soufflent un instant.

Plus loin, le tronc est entièrement débité, les hommes sont à rassembler les billes de bois. Il faut que tout soit fini dans deux heures. Un premier parachutage est attendu avant le lever du jour. Ils travaillent extraordinairement vite, extraordinairement bien. Ils sont efficaces et précis. Quelques ordres secs rompent seuls le silence.

Le vieux Florent n'a pas bougé de son banc. Tout à coup, il perçoit une exclamation :

– Ça alors !

C'est la voix du capitaine Gustave. À une centaine de pas de là, il fait signe aux hommes de venir. Florent s'approche, lui aussi, à travers l'aire à présent nettoyée, aplanie. Là-bas, au bout du plateau, au bout de la racine mère, les hommes sont debout, immobiles. Bouche bée.

À leurs pieds, à quelques mètres de profondeur, une armure est couchée. Un homme en armes, casqué, dort de son dernier sommeil. De son flanc droit sort une racine. Une racine de noyer. Germé à hauteur de poche. Germé d'une noix emportée un jour par un guerrier de la Renaissance qui voulait tromper sa faim et qui rencontra la mort sur son chemin.

– Ah, que c'est beau, père Florent! s'est exclamé le capitaine.

Le vieux Florent a esquissé un sourire. Dans sa poitrine, l'étau s'est desserré. Il a pensé au petit Marcelin. La Renaissance… une renaissance.

Lentement, pesamment, il s'est accroupi, a pris dans sa grosse main calleuse la main gantée de fer, l'a délicatement reposée dans la terre meuble.

Un soleil rouge a brusquement auréolé le Ventoux. Presque en même temps, on a entendu un lointain vrombissement. «Les voilà!»

Quelques instants plus tard, dans le premier éclat du jour, des créatures surnaturelles semblaient sortir du voile de la nuit.

Les premiers parachutistes de l'opération Aile bleue se posaient doucement sur le plateau d'Esparrès.

Initiales

C'était une fin d'après-midi d'avril de l'année 1918. La journée avait eu cette douceur fragile des premiers jours de printemps et la soirée s'annonçait calme. Les Parisiens la goûtaient d'autant plus qu'ils n'avaient pas entendu tonner le canon allemand depuis quelques jours et que là, à Paris, ce Paris si meurtri depuis le début de la guerre, il semblait qu'on allât vers une sorte de paix.

En pensant à ce mot de «paix», Juliette Swift esquissa un sourire. Elle regarda l'heure sur la montre d'argent qu'elle portait en sautoir. 5 h 20. Le magasin allait fermer dans une grande demi-heure. En sortant, elle irait flâner le long du quai, elle s'attarderait à regarder trembler les feuilles naissantes au-dessus de l'eau, avant de se rendre chez sa mère qu'elle n'avait pas vue depuis plusieurs jours. Juliette entreprit de ranger ses stocks sous l'étalage. Elle était employée aux grands magasins de la Belle Jardinière, face au Pont-Neuf. Elle tenait le rayon «Toilettes de dames». Les clientes encore nombreuses se pressaient à l'unique caisse près de l'entrée, non loin du rayon de Juliette. Dans le brouhaha des voix, elle cueillait des bribes de phrases. Elle s'amusait souvent à regarder les visages et à imaginer les vies. Pour l'heure, les propos qui lui parvenaient évoquaient la terrible offensive allemande dans la Somme, la difficulté qu'avaient les troupes françaises à tenir malgré le renfort des alliés anglais et américains, les blessés, les morts, les fils, les pères, les maris, les frères, dont on était sans nouvelles.

La douleur se lisait sur les visages, sous le masque de la pudeur, de la dignité, de la compassion, mais la douleur était là, dans cette file de femmes. La bataille qui faisait rage depuis bientôt trois semaines là-haut, dans le Nord, paraissait plus meurtrière, si la chose était possible, que toutes celles dont Juliette avait entendu parler jusqu'alors.

Tout à coup, elle s'entendit héler:

– Juliette!

C'était le chef de rayon. Il était accompagné d'un homme, grand, au regard très bleu. Un regard clair qui frappait d'emblée, éclairant un beau visage régulier. Les traits de ce visage avaient encore l'indécision de la jeunesse, une espèce de flottement inquiet, mais portaient en même temps une lassitude et une détermination qui n'appartiennent qu'à la maturité. Le blond sale d'une barbe de quelques jours mangeant irrégulièrement le menton et les joues contrastait avec ces yeux limpides et contribuait à l'impression de vivante contradiction qui émanait de ce visage, achevant de le rendre extraordinairement émouvant.

– Monsieur ne parle pas le français. Voulez-vous vous occuper de lui, je vous prie.

L'homme portait une vareuse et un pantalon gris. L'uniforme des soldats américains. Cette précision, Juliette l'ignorait lorsqu'elle s'inclina gracieusement vers l'homme en murmurant :

– *May I help you, sir?*

Juliette était la seule vendeuse de toute la Belle Jardinière à connaître l'anglais. Elle l'avait parlé enfant, du temps de son père. Il était anglais, s'appelait Julian Swift, et vivait dans la banlieue de Londres. La mère de Juliette l'y avait suivi, Juliette y était née et ils avaient vécu là plusieurs années. Un jour, le père était parti. Juliette et sa mère étaient restées quelque temps dans le petit pavillon de briques. À attendre tout en sachant qu'il n'y avait plus rien ni personne à attendre. Il n'était jamais revenu. Elles avaient repris le bateau, laissant là-bas tout ce qu'elles possédaient.

Elle avait alors douze ans. Pendant toutes ces années, l'anglais était resté sa langue secrète, la langue de ses bonheurs et de ses malheurs, réels ou inventés. La langue qu'elle se parlait à elle-même quand elle était une autre. Dix ans plus tard, bien que n'ayant que très rarement l'occasion de parler, l'anglais lui remontait aux lèvres comme si elle n'avait jamais cessé de converser dans la langue de ce père disparu.

– *What can I do for you?*

Un instant, l'idée saugrenue lui vint que l'homme connaissait son père, qu'il venait de sa part, qu'il était venu lui dire… C'était absurde. L'étranger était à peine plus âgé qu'elle, et puis ces yeux si clairs semblaient interroger plutôt qu'apporter une nouvelle. Il parut hésiter. Le chef de rayon était parti et d'un coup il semblait un petit garçon perdu. Comme si la présence stricte et convenue du chef vendeur l'avait protégé, contre les autres, contre lui-même. Tout à coup, il était debout dans le grand vent, ne parlant pas la langue, étranger.

Juliette eut brusquement envie de lui dire, en français : « Venez, il fait encore beau, sortons ! Vous m'expliquerez tout ça dehors… » et de l'emmener par la main.

Mais elle n'en fit rien et ils restèrent debout, immobiles l'un en face de l'autre, pendant quelques secondes.

Soudain, elle fut horriblement intimidée par ce client. Elle sentait monter sur son cou l'affreuse rougeur qui accompagnait depuis son adolescence les moments de grande émotion et qui était sans doute ce qu'elle détestait le plus chez elle.

L'homme ne disait rien. Il regardait Juliette avec une sorte de détresse. Elle fit un effort surhumain pour prendre son air le plus « commercial » possible et répéter sa question en anglais. Aucun son ne sortit de sa gorge. La situation tournait au pathétique ou à l'absurde lorsque l'homme parla.

Il dit qu'il voulait faire un cadeau à une femme et qu'il manquait d'idées. Il ne savait pas quoi offrir, il n'avait pas l'habitude. Il avait besoin de conseils.

Juliette l'interrogea sur les goûts de la personne. Était-elle blonde à peau claire, ou brune à peau mate ? Aimait-elle les parfums capiteux, préférerait-elle une eau de toilette, ou bien la faîcheur d'une eau de Cologne ?

Sortait-elle le soir? Aimerait-elle une paire de gants de soirée, ou encore un fichu plus « sport » pour se promener dans la campagne?

Elle avait retrouvé son aisance, et prenait une sorte de plaisir étrangement mêlé de souffrance à faire apparaître ainsi en filigrane, à travers les réponses de l'Américain, le portrait d'une femme aimée. Comme si par sa propre volonté, elle faisait et défaisait l'image de cette femme, comme si par ses questions, elle en induisait les formes, les traits, les couleurs, les goûts. Son assurance devenait une sorte d'ivresse. Et le plus étrange, c'est qu'à cette ivresse le jeune homme semblait se prêter. Alors qu'au début de l'interrogatoire, il paraissait chercher ses mots, réfléchir, maintenant il affinait ses réponses, apportant des détails qui ne lui étaient pas demandés, précisant et orientant les questions de Juliette.

Elle parlait avec animation. Le rouge qui tout à l'heure trahissait sa timidité était monté à ses joues et c'était le feu d'une sorte de joie intérieure. Elle courait après une ombre qu'elle ne connaissait pas et dont les traits lui devenaient de plus en plus familiers. Elle goûtait avec délices un instant volé à sa journée, dont elle sentait en même temps déjà la blessure de la fin. Bientôt, il faudrait finir, partir. L'objet serait trouvé, choisi. Terminé ce merveilleux jeu de cache-tampon avec un soldat beau et inconnu.

– *We have to decide. The store is going to be closed in a few minutes.*

Elle prit elle-même l'initiative de la fin du jeu. Le magasin allait fermer. Le cœur serré par une sorte d'angoisse, elle proposa un poudrier, qui fut accepté.

C'était un joli poudrier à couvercle argenté. Juliette dit à l'homme que, s'il le désirait, il pouvait faire graver des initiales. Il n'aurait qu'à repasser demain. Elle s'occuperait de tout. L'homme dit qu'il ne pourrait probablement pas repasser demain parce que son régiment partait pour la Somme. Juliette sentit comme une vague de souffrance. La Somme, c'était cette bataille sans merci où tombaient tous les hommes, celle-là même dont parlaient les clientes tout à l'heure.

Mais il voulait quand même faire graver des initiales. Il trouverait bien un moment pour passer. Et sinon demain, peut-être une autre fois, si Dieu le voulait.

Elle lui tendit un papier et un crayon. Il inscrivit les lettres.

Elle lut « J.S. ». Ses propres initiales, telles qu'on pouvait les lire sur sa blouse.

Lorsqu'elle releva la tête, il pleurait.

Il lui dit enfin qu'elle était la seule femme

qu'il eût connue ici, qu'il voulait lui faire ce présent, ce présent d'un homme qui part à une femme qui reste. Que là où il allait, les hommes ne revenaient pas.

Il dit qu'il écrirait. Elle s'accrocha à ces mots comme un noyé qui cherche l'air. Il supplia de faire graver les initiales et de penser à lui.

Juliette était muette mais toute son âme criait.

Enfin, il partit. Juliette ferma son étalage, sortit dans la lumière trop vive, longea les quais de la Seine sans savoir où elle allait. Le soleil lui faisait mal.

Le lendemain, il ne revint pas. Elle interrogea, timidement, autour d'elle. Les bataillons alliés, américains, étaient-ils encore sur Paris… ? Savait-on quelque chose ?

Quelques jours plus tard, elle apprit que les derniers contingents étaient partis pour la Somme le soir même de leur rencontre.

Il n'écrivit jamais.

Père et fils

En juillet 1914, les nuages d'un terrible orage s'amoncelaient sur l'Europe. Dans les campagnes, chacun le sentait mais personne n'y croyait. La guerre, c'était l'affaire des gouvernements, pas des simples paysans qui avaient bien d'autre ouvrage à abattre. Les foins étaient à faire, les blés mûrissaient paresseusement, si la chaleur persistait, ils allaient bientôt être bons à couper.

En ce début juillet, François et son père s'étaient assis sur le talus au milieu des coquelicots et des silènes blancs pour souffler à l'ombre d'une de ces haies vives qui dessinent le bocage normand. Auguste Raizé tenait sa grande faux debout entre ses jambes. Il y appuya la tête.

— Tu sais, fiston, si elle vient, la guerre, il faudra bien que j'y aille. Et toi, il faudra bien que tu saches la tenir, la faux! Et même la faire travailler! C'est pas ta mère qui le fera. Elle en aura déjà assez sur les bras.

François avait regardé son père intensément, de biais, comme lorsqu'il ne voulait pas que l'on voie son émotion. Puis il avait fixé une colonne de fourmis qui transportaient d'énormes brindilles.

– Pour la faux, ça ira… Mais, papa, s'il y a la guerre, ils te prendront, toi ?

– J'ai bien peur que oui, mon François. J'ai trente-deux ans, je suis juste dans la tranche, avait dit son père en se levant. Allons, viens, je m'en vais te montrer.

Toute la fin de l'après-midi, François avait manié la faux, coupé le foin luisant qui se couchait en grandes nappes avant qu'Auguste ne le forme en gerbes. Demain, ils passeraient avec Chéri, le cheval, et la charrette. On chargerait tout le foin et le rentrerait au sec. François était revenu les bras moulus, les épaules et les reins douloureux. À treize ans, il n'avait encore jamais fauché comme ça, une longue après-midi d'affilée. D'ordinaire, il faisait les gerbes, aidait à charger le foin. C'était déjà dur. Mais le mouvement de balancier de la lourde faux, trop grande pour lui, lui avait brûlé les mains, tordu les bras.

Ce soir-là, il s'était presque endormi sur sa soupe, et son père avait dû l'aider à se déshabiller pour se mettre au lit.

L'été avançait. La fenaison s'était terminée juste avant quelques jours d'orage, autour du 14 juillet, qui avaient commencé de ployer le blé. On se préparait à attaquer les moissons. Le temps orageux persistait, tandis que s'amplifiait la rumeur de la guerre. Elle parcourait les campagnes et les villages, grossissait les cafés à l'heure de l'apéritif, pesait déjà, menaçante, sur les épaules des femmes au seuil des portes quand le soir venait.

Le 28, ils commencèrent la moisson. Auguste montra à son fils comment manier la faucille d'un coup sec, sans répandre la poignée coupée et sans risquer de se blesser la main.

François était attentif et tendu. Il admirait son père, un homme dur à la tâche et généreux, aimant rire mais sachant être grave quand il le fallait. Auguste avait une finesse de traits, rare chez les paysans de chez lui, qui reflétait l'intelligence et la douceur de son caractère. François avait hérité de ces qualités mais se trouvait moins beau qu'Auguste. Depuis toujours, ils faisaient la paire. Même si François avait pris goût à l'école alors qu'Auguste ne l'avait jamais fréquentée, il aimait rejoindre son père aux champs à la fin de la journée. Il aimait travailler la terre, évaluer la santé des pousses naissantes, s'occuper des bêtes. Il était fier de son père et Auguste le lui rendait bien.

L'orage éclata le 1er août. Ils étaient tous les quatre aux champs, François, Marie, sa mère, Auguste et la petite Rose qui avait juste huit ans. Ils se hâtaient avant que la pluie ne tombe. La chaleur était intenable, bêtes et gens suaient à grosses gouttes, harcelés par les mouches. Chéri soufflait, frappait le sol durci et fouettait ses flancs avec sa queue. Personne ne parlait, l'urgence était dans l'air.

Soudain, on entendit les cloches. On n'était pas dimanche, il était 5 heures du soir et il n'y avait pas d'enterrement au village. Et puis ces cloches qui sonnaient sans ordre, dans la précipitation, sans discontinuer... Le sacristain semblait avoir perdu la tête, il sonnait le feu, le tocsin, le désespoir.

Auguste posa sa faux, se redressa. Dans les champs voisins, on s'était redressé aussi. On écoutait, le visage tendu vers le ciel, ces cloches devenues folles.

Puis Auguste regarda sa femme. Il fit un signe de tête et la prit par la main. Sans dire un mot, ils regagnèrent lentement le village, les deux enfants derrière eux. C'était la guerre.

Auguste partit le 3 août, avec tous les hommes jeunes du canton. François, sa mère et Rose les accompagnèrent à la gare de Fougères. Les hommes étaient gais, la guerre serait courte. On serait là pour la Saint-Martin, fin octobre au plus tard. On s'embrassa rapidement, Auguste n'aimait pas les effusions, on se dit «à bientôt».

Pendant un mois et demi, il n'y eut pas de nouvelles.

Vers la mi-septembre arriva la première lettre. Auguste pensait aux siens, espérait que la guerre serait bientôt finie, disait que le front était dur mais qu'on ne se fasse pas de souci pour lui. Marie, la mère de François, s'en faisait pourtant, du souci. On parlait de terribles batailles, il y avait eu Charleroi, la Marne…

Fin septembre, le curé commença à dire en chaire les noms des morts pour lesquels serait célébrée une messe. Le maire se présentait aux maisons, plusieurs fois la semaine, avec l'affreuse nouvelle.

Ici un mari, là un fils, ici deux. Parfois, c'était l'institutrice, elle était plus douce, elle disait mieux la chose, peut-être. «N'empêche, faisait Marie, c'est du pareil au même.» Quand François, ou Marie, ou Rose les voyaient se profiler sur la route, l'un ou l'autre, ils retenaient leur souffle. Chaque jour, François guettait avec impatience l'arrivée du facteur qui apportait peut-être une lettre, avec angoisse celle du maire porteur de misère.

En novembre, Auguste revint avec une permission de huit jours, dont deux pour le voyage. Restaient six jours à la maison.

Il était crasseux, plein de poux et la barbe lui mangeait le visage. Mais il n'avait pas trop maigri et ne voulait pas se plaindre. À François qui le harcelait de questions, il répondait de façon laconique :

— Ça va, le rata n'est pas trop mauvais. Il y a de bons camarades.

— Et la guerre ? demandait François, les canons, les combats à la baïonnette ?

— Ah, la baïonnette, il faut savoir s'en servir, il ne faut surtout pas qu'elle soit ébréchée !

— Mais le front, c'est comment ? Raconte, dis un peu !

Non, Auguste ne voulait pas raconter. Il disait seulement :

— C'est dur, fiston, on voit des choses…

C'était tout. François n'obtenait rien de plus. Mais il retrouvait son père et cela lui redonnait ce courage qui parfois faiblissait quand il surprenait sa mère le soir près du foyer où rougeoyaient les dernières braises, la tête dans les mains, se croyant seule et pleurant toutes les larmes de son corps.

À la maison, il y avait beaucoup à faire. François s'échinait du matin au soir. Chéri, le cheval de trait pommelé, avait été réquisitionné par les militaires, comme tous les chevaux de la commune sauf deux que le village se partageait. Deux chevaux pour des hectares et des hectares de labours. Il fallait aller vite, le voisin attendait. Et puis finalement on n'arrivait pas à labourer tous ses champs.

Février, mars 1915. La guerre durait. Personne ne croyait plus que cela allait finir bientôt. Les lettres d'Auguste s'espaçaient. Il donnait peu de nouvelles de lui, n'écrivait que pour en demander des siens. Il voulait qu'on lui parle de la ferme, des vaches, du cochon, du blé d'hiver. Il disait qu'il avait de la chance, que c'était sûrement la médaille que lui avait donnée Marie avant de partir, avec trois mèches de cheveux, les siens et ceux des deux enfants. Il n'avait pas été blessé. À peine une égratignure au mollet, un éclat d'obus qui avait frôlé sa jambe.

En mars 1916, Auguste eut une longue permission. Il arriva un lundi alors qu'on l'attendait depuis le vendredi, que tout le monde était inquiet. Il était changé, on le voyait tout de suite. L'inquiétude et la sollicitude de François, de Rose et de Marie semblaient ne pas le toucher. Il était éteint. L'unique désir qu'il manifestait était celui d'être seul. En même temps, l'être tendre et chaleureux qu'il avait toujours été ne pouvait disparaître complètement. Il était comme une braise étouffée sous la cendre. Au vrai, Auguste semblait mener une bataille en lui-même, une bataille qui l'étouffait à proprement parler. De toutes ses forces conscientes, il avait voulu être là, au milieu des siens, dans la tendre tiédeur familiale. Mais c'était plus fort que lui, il se sentait là comme un étranger. Comme si la guerre et le dur compagnonnage de la mort étaient devenus une nouvelle famille avec laquelle il trahissait quotidiennement la sienne depuis maintenant deux années, sans l'avoir voulu.

François observait avec amertume le combat qui se livrait en son père. En même temps, il avait la finesse de deviner ce quelque chose qui ne se partage pas. Marie, elle, ne comprenait pas et souffrait profondément de ne pas retrouver «son» homme. Elle essayait maladroitement de le faire sortir de son mutisme.

– Cela a-t-il été très dur, là-bas, Auguste ?

Il secouait la tête.

– Non, Marie, pas tant que ça.

Marie insistait :

– Mais Auguste, les gaz, il y en a deux au village qui sont morts à cause des gaz et un troisième qui a les poumons brûlés.

Il ne fallait pas parler de ça.

– Ah, tais-toi, Marie, tu ne sais pas de quoi tu parles !

Il sortait, traversait la cour à grands pas et Marie se mettait à pleurer doucement. François la prenait par l'épaule.

– Tu sais, maman, il y a des blessures qui ne se voient pas. Papa n'a pas perdu la jambe ou le bras, il est parmi nous, nous avons cette chance. Mais il a perdu la foi en la vie. Ça peut revenir, ça reviendra un jour, il faut du temps, c'est tout. Quand cette foutue guerre sera terminée…

Marie trouvait du réconfort dans les paroles de ce fils, si sage, si vite grandi. Combien il devait l'aimer, son père, pour lire si clairement en lui, pour manifester tant d'indulgence. Elle ne s'en sentait pas capable. Et Dieu sait pourtant si elle l'aimait, elle aussi. Après un jour, deux jours, elle recommençait à questionner Auguste, à fouailler sa blessure solitaire. Avec le même effet.

Auguste resta trois semaines. François ne se souvint pas de l'avoir vu sourire. Si, une fois, un pâle sourire à l'instant de se quitter. Un sourire qu'il voulait brave, qu'il voulait autre. Destiné à racheter tout, le mal qu'il sentait avoir fait, l'absence passée et à venir, la médiocrité de ce pauvre don de lui-même. François en fut retourné. Les mois qui suivirent, le visage de son père s'effaça lentement de sa mémoire, hormis ce sourire étrange. En août, il y eut une lettre, puis en novembre, quelques lignes. Noël 1916 passa sans un mot. C'était la première fois depuis le début de la guerre. François, sa mère et Rose attendirent le maire. Rien ne vint, aucun avis, aucun papier. Les mois s'écoulaient comme les grains d'un chapelet de misère. À la maison, on ne parlait plus d'Auguste et ce silence pesait peut-être plus lourd que la mort elle-même. En mai 1917, surprise, une carte. Une carte de soldat préécrite. Sur trois formules : « Je suis en bonne santé », « je suis blessé », « je reviens en permission », Auguste avait rayé les deux dernières et simplement ajouté « pensées tendres de votre père et mari, Auguste ». Mêlée à l'étonnement devant une missive si brève, ce fut pourtant la joie. Puis Auguste disparut à nouveau. Dans le souvenir douloureux de François, même le dernier sourire s'évanouit.

En février 1918, François dut partir à son tour. Il venait d'avoir dix-sept ans. Quatre années de dur travail, de soucis, d'une adolescence volée, avaient tanné les traits de son visage, forci ses muscles, élargi ses épaules. Mais il gardait toujours cette expression enfantine, un peu craintive, lorsqu'il souriait et, s'il ne le montrait pas et même faisait le fier à l'idée d'être soldat comme son père, il avait peur de la guerre.

Sur le quai de la gare, ils se trouvèrent un régiment de cinquante recrues, tous entre dix-sept et dix-huit ans, tous accompagnés par une mère, une sœur. Le train partit en soufflant, les fenêtres s'ouvrirent, on se cria «à bientôt!», il y eut des mouchoirs. La scène recommençait, comme en août 1914, comme en octobre, comme en janvier 1915, comme chaque fois depuis quatre ans qu'une classe d'hommes atteignait l'âge d'aller se battre. Mais cette fois, pour tous sans exception, l'horizon semblait noir. Jusqu'au bout, ils avaient espéré y échapper. Au début de l'année 1918, les rumeurs de paix commençaient à courir. Tant de morts, tant de souffrances, tant de mutilés. Ce n'était pas possible, on se

le disait à l'arrière, ça va bien devoir s'arrêter quand il n'y aura plus d'hommes du tout.
Mais il n'y en avait plus depuis longtemps et
les garçons devenaient des hommes de plus
en plus jeunes et ils ne revenaient pas.

Pour François, la seule note positive dans
ce départ était l'espoir de revoir son père. Il
montait au front, comme lui, il ne pouvait pas
ne pas le retrouver. Ils reviendraient ensemble
de la guerre, il l'avait promis à sa mère.

François et ses camarades arrivèrent le
2 mars 1918 dans un baraquement militaire
à la frontière ardennaise. On sentait que des
générations d'hommes, de soldats, avaient
couché dans ces lits de fer, bu de la mauvaise
piquette dans ces gamelles cabossées, partagé
les mêmes chambrées puantes. Pour aller où ?
Pour finir dans quelle terre ? Qu'étaient-ils
devenus, tous ces hommes qui avaient mangé
de cette soupe de rave et de ce pain gris de
munition qui remplissait sans rassasier ? À
force, on devait s'y habituer.

Les recrues furent prises en charge par des
anciens, des vétérans qui avaient parfois déjà
deux ans de guerre de tranchées, et parfois
à peine un an de plus que les nouveaux arri-
vants, mais cette année-là changeait tout.
La fréquentation quotidienne de la mort,

du sang, de la chair meurtrie, la vision des organes à l'air, de l'ami décapité, amputé, le spectacle banal de l'agonie avaient fait de ces enfants des hommes à la souffrance silencieuse, des monstres d'humanité ou de dureté.

L'année qui séparait François de celui qui le prit aussitôt sous sa protection, avec quelques-uns de ses semblables, une protection sans ménagement, railleuse, turbulente mais chaleureuse et efficace, comptait comme vingt. Entre les dix-sept ans de François et les dix-huit et demi de Maurice, il y avait une vie, que François eut d'un coup hâte de combler pour se rapprocher de lui.

Très vite, François avait demandé si on connaissait son père, si on l'avait vu. Maurice avait répondu de manière quelque peu sibylline :

– Tu sais, petit, si jamais la guerre sert à quelque chose, c'est à séparer pour de bon les fils et les pères.

François n'avait pas osé demander d'éclaircissement mais il se l'était tenu pour dit et en avait été malheureux. Il réalisait d'un coup à quel point le front, ce mot qui semblait si précis auparavant, si localisé dans la cartographie imaginaire de la patrie, ce lieu où il avait follement espéré retrouver Auguste, était quelque chose de vaste, d'imprécis, de mouvant, d'impalpable.

Le jour tant attendu, tant redouté, vint enfin. Le détachement de François reçut l'ordre de monter à l'avant pour faire des travaux de retranchement. Dans les camions bâchés qui roulaient vers le front, les recrues, tout excitées, riaient, plaisantaient, se passaient des cigarettes, changeaient constamment de place, commentaient avec passion toutes les nouveautés aperçues à travers un coin de bâche soulevée. Assis à l'arrière du camion, les anciens les laissaient faire avec indulgence. Ils en avaient tant vu tomber, de ces jeunes pleins de feu, pleins de vie, pleins de folie. Ils laissaient déborder ce moment où la peur ressemblait à l'enthousiasme, sachant bien qu'à partir de tout à l'heure, de demain, d'après-demain, ce moment-là, de grâce et d'exubérance, ne reviendrait jamais plus.

Peu à peu, les camions entrèrent dans la zone. L'air du front, alourdi par le brouillard et la fumée des pièces à feu, fit son effet, tempérant quelque peu l'ardeur des plus jeunes. Un bruit sourd se fit entendre, puis un autre. «Départs d'obus», lâcha un ancien. «Des 305. Vous allez les entendre tomber.» Les camions s'arrêtèrent net. Trois explosions toutes proches firent trembler la colonne, dont une à quelques dizaines de mètres à peu près. On entendit des cris. Tout vacilla.

– Ça va barder, dit Maurice.

Personne ne riait plus. Blanc comme un linge, François s'était rapproché de Maurice.

– Ne fais pas cette tête-là, mon vieux. On ne va même pas en première ligne aujourd'hui. On va juste poser des barbelés à l'arrière de la zone.

Il fallut descendre des camions, porter les lourds rouleaux de barbelés et les piquets de fer quelques centaines de mètres plus loin. Le terrain était plein de trous d'obus, la terre mutilée. Çà et là, de vieilles carcasses de camions déchiquetés par les obus.

À présent, le roulement lointain de l'artillerie ennemie était continu. Dans le soir tombant, la ligne d'horizon se dessinait, incertaine, ponctuée d'éclairs rouges. Une amère vapeur de poudre piquait la langue. Les nouveaux marchaient en silence, prompts à obéir aux ordres brefs de Roulay, leur chef, tombant dans les trous, glissant dans la gadoue. Enfin, ils arrivèrent au lieu des retranchements. Deux hommes enfonçaient les piquets de fer à intervalles réguliers pendant que deux autres déroulaient et fixaient le barbelé. La nuit était complètement tombée et, à quelques kilomètres de là, semblait illuminée par un gigantesque feu d'artifice. Les fusées allemandes explosaient, vertes, blanches, rouges, dans le ciel.

– Pressez-vous les gars, dit Roulay, ça se rapproche, il va falloir se tirer d'ici!

Sur un chemin transversal, une colonne de chevaux passa près d'eux, conduisant en première ligne des canons légers. Ils étaient beaux, forts, leurs yeux étincelaient, leurs croupes luisaient dans les éclairs. Soudain, un obus tomba, tout près, puis un autre, un peu plus loin. Aiguillonnés par la terreur, les jeunes soldats se hâtaient de terminer leurs rouleaux, autant que le permettaient leurs mains ensanglantées par les barbelés et la peur qui tétanise tous les gestes. Enfin, ce fut terminé. Roulay donna l'ordre de se replier, de regagner les camions.

Dans le vacarme des explosions, des cris, des ordres, François perçut des gémissements. Au milieu des soldats qui se repliaient en désordre, deux civières de fortune étaient portées par des vétérans qui couraient vers les camions. Ils arrivèrent au premier camion, y posèrent les deux civières en même temps que François et une dizaine d'autres recrues y grimpaient. Les premiers camions démarrèrent aussitôt. François se pencha sur le blessé qui était à côté de lui et qui gémissait de plus en plus fort. C'était Jacques Mazenod, un type de chez lui, même âge, dix-sept ans, partis ensemble de Fougères, le même jour. Dans le train, ils avaient fait connaissance. Mazenod était content de monter au front. Il disait que c'était bientôt la fin de la guerre, qu'il n'y avait plus gros risque, qu'il connaîtrait au moins ça dans sa vie, que plus tard il pourrait le raconter à ses enfants. À présent, il avait le bassin fracassé, en bouillie. La douleur, engourdie quelque temps par le choc, se réveillait et Mazenod hurlait à chaque cahot du camion. François lui mit la main sur le front et murmura :

– Ça va aller, vieux, t'en fais pas.

Il se sentit idiot. Ça n'irait pas, il le savait. Entre les vagues de souffrance, Mazenod pleurait comme un gosse. Il disait « Me laissez pas crever ! » et son visage était déjà creusé, sa peau comme du parchemin où les larmes coulaient. Quand ils arrivèrent au camp, il hurlait sans discontinuer. Il mourut la nuit suivante.

François se fit des camarades comme il n'en avait jamais eu. Albert était sabotier. C'était une nouvelle recrue, comme François, mais il avait vingt-cinq ans. Il avait été exempté jusque-là parce que, dans sa région, il était le seul sabotier restant à trente kilomètres à la ronde. C'était un type gentil, le cœur sur la main, et qui n'avait pas son pareil pour dénicher de quoi manger quand la faim se faisait sentir ou que la soupe aux raves quotidienne et le corned-beef ne passaient vraiment plus. Un jour, il revenait de ses tournées, comme il disait, avec un beau pain blanc, un autre avec trois boîtes de haricots à la tomate, ou avec un saucisson. Un soir, il revint au baraquement, hilare, avec une oie à laquelle il avait tordu le cou. Il portait encore sur ses bras les marques de la bataille, de grandes balafres saignantes. D'où venait-elle ? Cela, c'était son secret, il ne confiait jamais l'origine de ses rapines. Il dit qu'il avait rencontré l'oie dans un champ, qu'ils avaient eu une prise de bec et que l'affaire avait mal tourné.

Albert avait l'art de tout tourner en dérision. En outre, il était généreux en diable et partageait tout. François l'aima comme un frère.

Il y avait Maurice, grande gueule et colérique mais bon comme le pain, qui dispensait les conseils, protégeait les jeunes recrues contre la tyrannie des caporaux-chefs et connaissait une foule de trucs qui rendaient la vie quotidienne presque agréable, comme faire griller les poux dans une boîte de conserve au-dessus d'une flamme pour en venir définitivement à bout, fabriquer des pièges à rats capables de prendre une dizaine de rats à la fois ou récupérer avec une habileté diabolique les bottes des soldats allemands morts, réputées plus légères que les françaises.

Il y avait aussi Marcel qui était vantard comme pas deux, qui avait à l'entendre des fiancées autant qu'il en voulait, toutes plus belles les unes que les autres, à qui il arrivait des aventures à dormir debout. Personne ne croyait à ses histoires mais il était gentil et serviable et finalement son imagination débordante en distrayait plus d'un.

Fin juin, il fallut monter en première ligne. L'ennemi était « à bout de souffle ». À en croire les chefs, il s'agissait de donner le coup de grâce. Une opération rapide et légère, on nettoierait tout ça plus rapidement qu'il ne faut de temps pour le dire.

Les camions s'ébranlèrent le 25 au petit matin sous une pluie battante. Il pleuvait depuis une semaine et les chemins étaient transformés en torrents de boue. Les camions patinaient, cahotaient dans les fondrières remplies d'eau. Les soldats se taisaient. La première ligne, ils savaient à présent ce que c'était, ils y étaient montés deux fois en trois mois. Cela suffisait pour comprendre que, statistiquement, il y avait davantage de risques d'y rester que de chances d'en revenir.

Ils traversèrent ce qui restait d'un bois. Des troncs mutilés, calcinés, un mort y était encore accroché, à demi nu, le casque sur la tête, à deux pas de la route. Arrivés dans la zone des combats, la patrouille de François, une dizaine d'hommes que commandait Roulay, reçut l'ordre d'aller encore plus avant, en éclaireur, pour voir dans quelle mesure la position ennemie était encore occupée. Après s'être concertés sur un plan d'exécution, ils décidèrent d'aller par deux afin de ne pas attirer l'attention et se mirent à ramper d'entonnoir en entonnoir. François faisait équipe avec Maurice. La zone était balayée par des tirs d'artillerie et régulièrement arrosée par des obus. François mourait de peur. La nuit était tombée, la pluie redoublait d'intensité et on ne voyait absolument rien. François entendit un obus siffler et d'un coup fut paralysé. Ses bras et ses jambes ne le portaient plus. Il tenta de se ressaisir, fit une vaine tentative pour suivre Maurice qui était déjà loin. Ses membres étaient collés au sol, la sueur l'inondait, il lui sembla qu'il se vidait de l'intérieur. Il restait à plat ventre dans la boue, comme une limace, sans pouvoir bouger. Littéralement tétanisé. Sa tête se brouillait, les images s'y succédaient pêle-mêle, s'y superposaient dans le désordre, Marie, sa mère, son cheval Chéri réquisitionné, le mort dans l'arbre, les hurlements de Mazenod, les rats abattus à coups de pelle, son père, Auguste, l'étrange dernier sourire. Dans cette espèce de coma nauséabond, il entendit Maurice :

– Qu'est-ce que tu fous ! Dépêche-toi !

Il se sentit secoué, tiré et sans savoir comment, parvint enfin à se traîner sur les coudes. La pluie avait cessé mais un épais brouillard laiteux ajoutait une coloration fantomatique au noir de la nuit. Des silhouettes passaient devant eux, on ne les voyait qu'au dernier moment. Maurice et François rampaient dans une zone maintenant indéchiffrable de trous d'obus. Impossible de savoir où on était. Probablement en zone ennemie et parmi les obus qui tombaient à présent de tous côtés, il y avait sans doute des obus français. Maurice dit :

– Merde, on est perdus, je ne sais plus par où sont les nôtres !

Un projectile siffla à leurs oreilles, un autre. Des mitrailleuses se mirent en branle, tout près. Ils se jetèrent dans un profond entonnoir. Ils avaient de l'eau jusqu'aux épaules. Les tirs se raccourcissaient, l'attaque avait commencé et les fusées trouaient le brouillard. Soudain, ils entendirent un cliquetis d'armes. Des pas lourds passèrent à quelques mètres d'eux, ils virent briller une baïonnette. Ils se figèrent, les nerfs à vif. Quand le danger fut passé, Maurice dit :

– Si quelqu'un vient dans notre trou, il n'y a pas à hésiter, c'est lui ou nous. Il faut dégainer les premiers. Si l'eau gêne, il faut faire ça au couteau.

François était trop transi pour ajouter quoi que ce soit. Il se contenta de sortir son arme blanche. Ils attendirent encore une heure interminable sous la mitraille.

Tout à coup, le vacarme s'intensifia. Tout près d'eux, une bousculade, un corps lourd qui dégringole dans leur trou, tombe sur François en gémissant, s'accroche à lui. François lâche :

– Maurice, je ne peux pas, je ne peux pas !

Maurice frappe plusieurs coups. L'homme desserre son étreinte, s'abat dans l'eau boueuse, immense, pesant. Maurice et François le font rouler sur la paroi de l'entonnoir pour le remonter sur le plat, il n'y a pas de place pour trois.

Un petit jour blafard pointait derrière les nappes de brouillard. Les tirs s'éloignaient, la canonnade roulait maintenant de manière discontinue.

Maurice tira François par la manche :

– On y va !

Ils sortirent de leur trou. Sur le rebord, l'homme gisait dans une mare de boue sanglante, face contre terre. Maurice jura :

– Merde ! C'est pas un boche ! Retourne-le, voir.

François retourna le soldat mort.

C'était son père.

François s'enfuit la nuit même, laissant au camp son paquetage, sa musette, son fusil à baïonnette, son casque. Il fut rattrapé à la frontière belge, traduit le lendemain en conseil de guerre et fusillé comme déserteur.

Quatre mois plus tard, c'était l'armistice.

À la vie à la mort

Ils étaient trois. Trois à s'être reconnus sans avoir eu besoin de se présenter. Trois à avoir gardé la bouche obstinément close ce jour de rentrée 1942 dans la cour du lycée, alors que les trois classes de première du lycée Pierre-Corneille chantaient «Maréchal, nous voilà!». À avoir senti leur cœur battre la chamade à l'instant où tous les autres entonnaient l'hymne à la France vendue. À avoir eu envie de baisser la tête pour que personne n'y lise une angoisse aussi forte que leur refus, mais à l'avoir levée pourtant.

Et à avoir senti en même temps que ce «non» proféré en silence était un engagement.

Ce jour-là, personne n'avait remarqué les bouches serrées, les traits tendus. Mais eux s'étaient reconnus.

Lorsque les groupes s'étaient égaillés dans les couloirs du lycée pour regagner leurs classes, ils avaient furtivement échangé leurs noms.

– Moi, c'est Lucien Magalnik, et toi?

– Pierre Aubagne.

– Jean Chevance.

Ce fut tout pour ce jour-là et pour ceux qui suivirent. Presque délibérément, ils s'évitèrent, comme s'ils avaient déjà quelque chose à cacher aux autres et d'abord leur entente secrète.

L'occupation allemande était là, plus dure en ville, au quotidien, qu'à la campagne, simplement parce que la présence nazie y était constante et visible. La France était vaincue, humiliée, occupée, martyrisée. Elle s'enfonçait dans le marasme de la défaite et de la collaboration officielle. On marchait en rasant les murs, on parlait à voix basse. Les noyaux de résistants étaient rares, pépites d'espoir encore fondues dans une masse de désespoir.

Que faire? Comment agir lorsque tout l'être se révolte mais qu'on n'est pas encore en nombre?

À Pierre-Corneille, on vit fleurir sur les murs de discrets «Vive de Gaulle», «À bas Hitler», «Salauds», «Vive la France».

Le matin du 11 novembre, sans s'être concertés, au lieu du papillon tricolore arboré par de nombreux lycéens «Pétain toujours, de Gaulle jamais », les trois garçons arrivèrent au lycée avec un insigne de deuil cousu sur la poitrine. En fin de journée, ils furent convoqués dans le bureau du directeur qui leur arracha leur insigne et les semonça sévèrement.

À la fin du mois de novembre, de nouvelles lois anti-juives furent promulguées. Les Juifs étaient déjà écartés de toutes les fonctions administratives, à présent ils étaient interdits de présence dans les lieux publics et sommés de porter bien en évidence une étoile de David à cinq branches.

Un lundi matin, Lucien arriva au lycée avec l'étoile jaune cousue sur sa poitrine. Ce jour-là, les trois garçons se parlèrent longuement pour la première fois. Lucien était juif, d'origine polonaise. Il était né en 1926 à Anvers, en Belgique, où ses parents s'étaient réfugiés pour fuir une Pologne qui persécutait ses Juifs. Son père y avait trouvé du travail, un emploi d'ouvrier dans une usine de verrerie. Il était communiste. À sept ans, Lucien l'avait vu pleurer le jour de l'avènement d'Hitler au pouvoir en Allemagne. L'Europe entière était secouée par la vague antisémite, disait le père. Et il ajoutait que seule la France, probablement, resterait un pays d'égalité et de liberté. Un jour, il y eut à Anvers une manifestation antifasciste, la police flamande procéda à des arrestations massives et releva le nom de tous les participants étrangers. Les Magalnik furent expulsés et durent plier bagage dans l'heure.

Les parents de Pierre n'étaient ni juifs ni communistes mais ils écoutaient Radio Londres tous les soirs et en famille on parlait librement. Un oncle de Pierre, Étienne, le frère cadet de son père, avait été fait prisonnier en juin 1940, s'était évadé un an plus tard et vivait depuis dans la clandestinité. On le savait, on l'approuvait. Il avait fait une apparition le soir de Noël 41, avait simplement demandé qu'on ne cherche plus à entrer en contact avec lui et dit qu'il donnerait de ses nouvelles. L'oncle Étienne avait vingt-cinq ans, dix ans à peine de plus que son neveu et Pierre l'admirait éperdument.

Jean vivait dans un grand appartement en ville, avec un père industriel qui ne lui adressait jamais la parole. Surtout pour parler politique. Jean avait bien essayé une ou deux fois d'engager la discussion : son père lui avait fait comprendre que s'il voulait continuer à habiter sous son toit, il ferait mieux de renoncer à son prosélytisme et à ses idées.

Le lundi suivant, ils étaient trois dans la classe de première B à porter l'étoile jaune :

Lucien bien sûr, mais aussi Pierre et Jean. C'était un acte insensé, au regard de la logique d'alors. Mais un acte plein de sens et plein de foi à la lumière de l'engagement dont il témoignait.

À nouveau convoqués dans le bureau du directeur, Pierre et Jean furent cette fois renvoyés dans leurs foyers pour une semaine.

Considérant qu'il n'avait pas de foyer, Jean se contenta de signifier par une lettre à son père qu'il ne le verrait plus et qu'il entrait dans la clandestinité.

De ce jour, ils se considérèrent en résistance. Ils prirent brusquement conscience que résister, ce n'était pas seulement l'instant du «non». Ce n'était pas seulement l'action d'éclat, celle qui se montrait et qui se voyait. Résister, c'était d'abord tenir. Tenir, c'était durer. Et pour durer, il fallait se cacher.

Après la semaine de renvoi, Jean, Pierre et Lucien ne retournèrent pas au lycée. Ils installèrent un local dans une cave, rue de l'Abreuvoir, que leur prêta un ami du père de Lucien, ouvrier typographe, et se procurèrent par l'intermédiaire de ce même ami deux machines à écrire et une vieille machine à ronéoter. Ils en apprirent le fonctionnement et se mirent à imprimer des tracts signés du groupe Résistance et Liberté, qu'ils distribuaient dans les boîtes aux lettres, dans les queues de ravitaillement ou jetaient à la volée sur les marchés depuis leurs vélos, ainsi que des affiches qu'ils collaient à la nuit tombée.

Ils furent bientôt rejoints par d'autres lycéens et, à la fin du mois de février 1943, le groupe Résistance et Liberté comptait quatorze membres, tous lycéens ou étudiants, dont trois jeunes femmes.

Dans l'organisation, chacun avait sa tâche particulière, sa spécialité en quelque sorte. Il y avait ceux qui se procuraient le papier et l'encre de la ronéo, ceux qui collectaient les informations en provenance de la France libre, ceux qui rédigeaient les tracts. Jean, qui parlait l'allemand, était préposé à la rédaction de tracts antinazis destinés à être diffusés dans les lieux de rassemblement de la Wehrmacht, cantines, restaurants, casernements. Ces textes avaient pour but d'expliquer aux soldats qu'ils combattaient pour une mauvaise cause et de les amener à réfléchir sur ce que Hitler leur faisait accomplir, afin qu'ils désertent. Pour cette dernière mission, particulièrement délicate, Annie s'était proposée. Elle avait vingt ans, était vive, charmante et quand elle passait avec son vélo et sa robe à fleurs dans des lieux remplis d'Allemands,

personne ne la soupçonnait de velléités sub-
versives. Elle posait son vélo contre un mur,
l'air parfaitement innocent, traversait tranquillement les groupes d'Allemands comme
si elle savait où elle allait. Puis, profitant d'un
instant d'inattention, elle déposait son paquet
de tracts dans un coin et filait.

Pierre, Jean et Lucien vivaient leur nouvelle
vie dans une totale évidence. Pas un instant
le sentiment de faire quelque chose d'excep-
tionnel, ou d'héroïque, ou de beau, ne les
effleura. Seulement, par bouffées, une sen-
sation d'exaltation, celle, étrange, indicible,
d'accomplir ce pour quoi ils étaient faits.

Jean avait quitté son père sans l'ombre d'un
regret, Pierre marchait dans le droit fil d'un
esprit familial habité par l'horreur du nazisme.
Lucien n'avait que le choix de fermer les yeux
devant la réalité, de se soumettre ou de se
battre. Ils avaient quitté le lycée comme on
passe à autre chose, sans retour sur hier, sans
inquiétude sur leur avenir. L'avenir, c'était
aujourd'hui; le présent de chacun, c'était
celui de tous. Un «tous» qui pour la première
fois donnait son sens profond à ce qui n'était
jusqu'alors qu'un nom: la France.

Curieusement, ce fut Lucien, le plus sen-
sible, le plus calme, le plus menacé aussi, qui
se vit confier le rôle du chef. Un rôle qu'il

avait toujours assumé au lycée, au fil des classes, mais sans jamais le chercher. «Pourquoi moi?» se disait-il déjà lorsqu'il avait huit ans et que son père le désignait pour aller remplir le seau à charbon à la cave, alors qu'il faisait noir, noir et peur. Lucien avait toujours été, pour le meilleur et pour le pire, le premier. Celui qui n'a pas peur, l'élu, mais aussi le premier de corvée et en même temps celui par qui les catastrophes arrivent. Il avait longtemps vécu cette «prérogative» comme une fatalité puis s'était rebellé de toute la force de son impuissance de petit garçon. À neuf ans, couché le soir dans son lit près de sa sœur Deborah, il lui chuchotait :

— Il faut que tu leur dises pour la cave, que j'ai peur. Je meurs de trouille, moi, Deborah. Surtout quand la lumière de l'escalier s'éteint. Une fois j'ai failli faire dans mon froc.

Deborah avait pris le fou rire sous ses draps et Lucien s'était tu, vexé. Après un silence, il avait ajouté :

— Tu verras, un jour, tout le monde saura que je suis pas un petit chose tremblant. Pas que ça, quoi…

À seize ans, au fond de lui, il était toujours un «petit chose tremblant». Mais ça ne se voyait pas, personne ne le savait et ce fait même lui donnait une supériorité à la fois sur les peureux et sur ceux qui disaient ne pas l'être. Avec tout cela, toute cette peur assumée, parfois surmontée, Lucien inspirait une formidable confiance. Sans avoir un esprit de chef, il en avait au fond profondément l'âme, réfléchi, prévoyant, altruiste.

En avril, le groupe Résistance et Liberté fut contacté par un groupe de résistants locaux. Dix-sept combattants venaient d'être arrêtés par les miliciens français, livrés aux Allemands et passés par les armes. Le réseau était décimé. Ceux qui en avaient réchappé étaient décidés à répondre au massacre par une action d'éclat.

Il s'agissait de plastiquer le siège de la Milice, situé tout près du lycée Pierre-Corneille.

La première mission consistait en repérages ; il fallait ensuite stocker armes et explosifs dans la cave de la rue de l'Abreuvoir. Le groupe Résistance et Liberté n'était encore localisé ni par les services allemands ni par ceux de la police française, contrairement au groupe de résistants qui les contactait, et avait l'avantage de connaître les sous-sols immédiats des locaux de la Milice, contigus à ceux du lycée où se trouvaient les cuisines, la cantine et le gymnase qu'ils avaient fréquentés longtemps.

Le 2 mai, Lucien et Annie se glissaient à la nuit tombée par un soupirail ouvert sur un passage désert et qui donnait sur une dépendance des cuisines. À la seule lumière d'une lampe torche, ils s'engagèrent dans une succession de caves humides et suintantes et débouchèrent dans une salle un peu plus vaste où étaient entreposées des caisses de vin. Lucien éclaira le plafond.

– Ce doit être à peu près ici, dit-il.

Ils gravirent, retenant leur souffle, les quelques marches qui menaient au rez-de-chaussée du local de la Milice. Tout était silencieux. Il y avait, donnant sur l'avant-dernière marche, une sorte de renfoncement tenant lieu de placard où étaient entassés des cartons vides. Le tout était poussiéreux, sans aucune lumière, manifestement inutilisé. Ils décidèrent que c'était le lieu idéal pour déposer le lendemain la charge explosive.

Le plasticage était prévu pour le 4 mai à 22 heures. À cette heure-là, le staff des miliciens était encore souvent sur place, en revanche aucun lycéen ne risquait d'être blessé.

Lucien et Annie regagnèrent la rue de l'Abreuvoir. La journée du 3 se passa à réceptionner armes et explosifs que les résistants livrèrent en deux temps, la première fois dissimulés dans un sommier, la deuxième dans une boîte à ordures.

Lucien, Pierre, Jean et Annie furent arrêtés à l'aube du 4 mai. Ils ne surent jamais qui les avait dénoncés. La police française défonça la porte de la cave et les conduisit directement dans les locaux de la Wehrmacht.

Là, ils furent séparés et interrogés. La Gestapo voulait des noms.

À un moment, un officier allemand s'approcha d'Annie et tenta de lui extorquer des renseignements par la douceur. Il se montra gentil, presque prévenant. Il lui apporta un café.

Elle repoussa la tasse en se détournant. Vexé, il lui demanda :

— C'est parce que je suis allemand ?

Elle répondit :

— Non, c'est parce que je suis française.

Ils furent battus et torturés. Aucun ne parla.

Le 5 mai, au petit matin, on leur dit qu'ils allaient être fusillés à 11 heures. À 8 heures, ils regagnèrent la pièce nue qui leur tenait lieu de cellule. Ils ne s'étaient pas vus depuis leur arrestation.

Jean avait le visage tuméfié, un œil noir et fermé. Les traits de Pierre semblaient tendus par la main de fer de la fatigue et de la souffrance. Ses yeux noirs brillaient comme des charbons ardents au fond des orbites creusées.

Lucien s'avança vers Annie et l'étreignit. Son cou était poisseux. Le sang avait coulé abondamment du cuir chevelu arraché au-dessus de l'oreille droite. Annie enfouit son visage dans ce cou ensanglanté et pleura, mêlant ses larmes au sang de Lucien. Ils ne s'étaient jamais rien dit et ils allaient mourir.

À 10 heures, on leur apporta du papier et des crayons. Un minuscule bout de papier pour chacun. De quoi écrire une dernière lettre. Jean écrivit à son père : « Je meurs pour une cause juste et grande. Mon seul regret aura été de n'avoir pas pu la partager avec toi. » Pierre écrivit à ses parents : « C'est la fin ! On vient nous chercher pour la fusillade. Je n'ai pas peur et je mourrai en chantant. Je vous serre contre mon cœur. » Lucien glissa simplement son papier dans la main d'Annie : « Je t'aurais aimée si j'en avais eu le temps. » Annie lui répondit par la même voie : « Nous avons le temps. Je t'aime. »

On venait les chercher. Douze hommes étaient à la porte. Lucien compta. Douze, avec des mitraillettes. Trois pour chacun. Aucun risque de manquer sa cible. Sans un mot, ils s'embrassèrent tous.

Lucien prit fermement la main d'Annie. Encadrés par les gestapistes, ils contournèrent le bâtiment et après avoir gravi quelques marches arrivèrent dans une cour cimentée. Il y avait un arbre, un grand platane qui lançait ses branches vers le ciel. Pendant qu'ils traversaient la cour, Pierre ne le quitta pas des yeux. Le pollen jaune dansait dans le soleil et le soleil paraissait noir. Arrivés devant le mur du fond, on leur ligota les mains derrière le dos et les soldats allemands les tournèrent face contre le mur. Ils se retournèrent d'un seul mouvement, face à leurs tortionnaires.

Pierre entonna d'une voix forte *La Marseillaise*, Jean se mit aussi à chanter. Annie tourna la tête vers Lucien.

Lucien vit les trous noirs de trois mitraillettes pointer vers lui.

Il voulut chanter. Il y eut un crépitement. Il tomba face contre terre. Il avait seize ans. Annie en avait vingt, Pierre et Jean dix-sept.

Rose

Le 8 juin 1994, une lettre arriva au courrier de 9 heures chez Rose Ponteux, à Nieules, Dordogne. Du courrier, Rose et Raymond n'en recevaient guère, les factures de téléphone, d'EDF-GDF, les relevés du compte-chèques postal, de la publicité que Rose gardait toujours quelque temps dans un panier spécialement destiné à cela, afin de «pouvoir comparer» – ce qu'elle ne faisait jamais. Deux fois par an, une lettre de Jean, leur fils aîné, qui vivait maintenant en Israël avec sa famille.

En déposant la lettre sur la table de la cuisine, le facteur lança :

– Mazette, Rose, c'est que tu en as, des relations !

Sur la lettre étaient imprimés les mots «Yad Vashem de Jérusalem», en français et en hébreu, avec un timbre d'Israël. Raymond rentrait du jardin avec un panier de haricots.

Rose lui versa son deuxième café de la matinée et congédia gentiment le facteur qui faisait mine de rester pour l'ouverture de la lettre. Elle s'essuya les mains sur son tablier de coton fleuri, ouvrit soigneusement l'enveloppe avec un couteau de cuisine et lissa le papier du plat de la main sur la table. Puis elle alla chercher ses lunettes dans leur étui sur le buffet et se mit à lire.

Ce fut rapide. Elle releva les yeux, regarda son mari puis fixa un point dehors dans le vide. Enfin elle murmura d'une manière à peine intelligible :

– Ils sont tombés sur la tête.

25 septembre 1941. Rassemblées dans la cour de l'école, les six institutrices avaient la gorge nouée. Pour trois d'entre elles, c'était le premier poste et dans des conditions particulièrement difficiles. La directrice était une femme grande et sèche, à l'air peu accommodant et elle les avait déjà prévenues qu'elle considérait les enfants comme des animaux à dresser et qu'elle ne passerait aucun manquement au règlement intérieur de l'école. Elle leur avait fait un long discours d'accueil qui avait commencé par un hommage au Maréchal, continué par une revue détaillée des droits et devoirs des uns et des autres et

il sembla à Rose qu'il y avait beaucoup plus de devoirs que de droits. Ce n'était pas ainsi qu'elle-même avait envisagé l'éducation des enfants. Puis la directrice s'était lancée dans la lecture d'une circulaire du ministère de l'Instruction publique qui avait achevé de mettre Rose dans un état de malaise profond. C'était donc cela, l'éducation, à cela que l'on conviait les enfants, pour cela qu'on leur enjoignait de quitter la maison, la ferme, la vie familiale ?

Enfin, les nouvelles venues se virent remettre un texte que chacune devait signer avant de prendre son poste. Un texte certifiant que l'on n'était ni franc-maçonne, ni communiste, ni juive. Rose n'était rien de tout cela mais elle ne signa pas.

Elle savait tout juste ce qu'était un franc-maçon, n'avait jamais cru à ce qu'on lui disait des communistes. Au fond, l'idée que les biens appartiennent à ceux qui les produisent lui était toujours apparue plutôt juste et bonne mais cela s'était arrêté là. Et elle n'avait jamais eu l'occasion d'approcher un Juif. Mais elle ne put signer.

Ce fut un sentiment profond, violent. Cinquante ans plus tard, elle pouvait encore sentir les battements de son cœur à cette minute-là, comme s'il allait voler en éclats, comme des coups de bélier dans sa poitrine.

À dix-huit ans, Rose n'avait aucune appartenance, aucune idée même de ce que peut être la politique, mais elle sentit d'instinct qu'il y avait là, à cet instant précis, un devoir de désobéissance. Elle ne signa pas.

Elle resta dans un coin du préau, les bras ballants, l'imprimé dans la main, comme terrassée. La directrice vint à elle, l'air doucereux :

— Quelque chose ne va pas, ma petite ?

— Je ne peux pas signer cela, madame, je ne le peux pas, dit Rose d'une voix qu'elle s'efforçait de rendre calme mais que la colère contenue transformait en un étrange feulement. Qui peut signer un document pareil ? Qui le pourrait ? ajouta-t-elle, presque pour elle-même.

— Cela ne semble pas poser problème à vos collègues, dit la directrice.

— Oui, c'est cela, fit Rose en regardant autour d'elle les autres qui déposaient comme de bonnes élèves dociles leur papier dûment signé sur le bureau de la directrice. C'est cela, vous avez raison. Cela ne pose pas de problème…

Mais qui étaient ces gens qui prétendaient avoir droit de vie et de mort sur certaines catégories d'êtres ? Qui étaient-ils ? D'où émanaient ces interdits, ces discriminations abjectes ?

Rose leva les yeux vers la directrice et, sans la quitter du regard, sans un mot, fit une boule de la feuille de papier et la lui tendit. La directrice recula comme si elle avait affaire au diable.

La carrière de Rose s'arrêta ce jour-là, le jour même où elle avait commencé. Rose retourna chez sa mère à la campagne, au village de Saint-Fiacre, par le car de 8 heures.

Il n'était plus temps d'aller à l'école et d'entreprendre d'autres études. La guerre était là. Rose apprit le métier de sa mère, sage-femme, en se disant qu'il serait toujours temps de passer les diplômes après. Et du travail, il y en avait. Le vieux médecin de Cessac, le seul de tout le canton, était mort un mois après la débâcle de juin 40 et son fils qui devait lui succéder venait de gagner Londres et la France libre. Rose apprit sur le tas.

La première année, elle assistait sa mère, préparant le linge, faisant chauffer l'eau, apaisant la parturiente. La deuxième, elle mit au monde «son» premier bébé. C'était la nuit. Sa mère avait été appelée la veille aux Bourles, un hameau à une vingtaine de kilomètres et, la naissance faite, elle y était restée pour la nuit. Sur le coup de 2 heures du matin, on frappa à la porte de Rose. C'était pour une fille de ferme qui avait caché sa grossesse autant qu'elle l'avait pu et qui accouchait sans prévenir dans sa petite chambre au grenier. De la salle, en bas, on avait entendu gémir et la fermière, une brave femme, avait envoyé chercher. Le bébé était une belle petite fille qui cria tout de suite et Rose fut fière comme si c'eût été la sienne.

L'incident de ses débuts avortés d'institutrice l'avait profondément bouleversée. Elle avait découvert la révolte et vivait depuis dans la souffrance de ne pouvoir l'exprimer par des actes. L'année 1942 se passa sous le signe d'une frustration permanente. Puis, peu à peu, les choses de la nature imposèrent leur rythme et leur silence. Les blés qu'il fallait rentrer, les haricots qu'il fallait biner, les noix à gauler, les bébés à faire naître à la ronde. Bien souvent, elle enfourchait sa bicyclette à la pointe du jour ou à la nuit tombée, nouait ses jupes et pédalait à travers la luzerne odorante ou le tabac en fleur pour aller délivrer une femme à cinq, dix, vingt kilomètres de Saint-Fiacre.

Un après-midi d'avril 1944, Rose était au lavoir à battre du linge avec Germaine, la femme de charge de M. le curé. Germaine était au service du curé depuis plus de vingt ans. En parlant de tout et de rien, elles en vinrent insensiblement à parler de la guerre. Dans le village, on savait parfaitement qui pensait quoi. Chacun avait ses opinions et ses engagements profonds que les autres partageaient ou non mais sans juger ouvertement. Hormis le vieux comte de Lusignac qui, depuis son domaine, ne cachait pas ses sympathies pour l'occupant en recevant ostensiblement des officiers allemands dans son château, la grande majorité des villageois avait adopté une position de résistance passive et silencieuse et on savait que l'abbé Courgey cachait des documents pour le maquis dans le tabernacle de son église. Simplement, on ne parlait pas. On se contentait de commenter sobrement les événements au café de L'Écluse, chez Louis. Chacun savait que toute parole, tout signe d'engagement actif, pouvait se retourner contre lui.

Ce jour-là, Rose sentit tout de suite que Germaine avait une idée derrière la tête. Discrètement, en lui parlant, elle tâtait le terrain pour savoir ce que pensait Rose. Elles étaient parfaitement seules et le lavoir était isolé, légèrement en contrebas de la route, juste avant l'entrée du village.

– Vous l'avez su, mademoiselle Rose,

que le fils Peyret a disparu de chez lui. Il a quitté la ferme de ses parents. Sa mère se tourmente...

– Oui, fit Rose en tordant son drap. On ne l'a pas vu au village depuis une semaine, je sais.

La vieille Germaine avait connu Rose au maillot, mais depuis son retour « des études », elle lui donnait du « vous » et du « mademoiselle ». Rose, elle, la tutoyait toujours, comme elle le faisait enfant.

– Des fois qu'il serait parti en ville, continuait Germaine, ou qu'il lui serait arrivé quelque chose. On peut s'en faire, du souci, par les temps qui courent... On ne sait pas trop, hein, les gens disparaissent, comme ça...

Rose ne disait rien, la sentait venir, la laissait s'enferrer un instant, pour s'amuser.

Le silence s'installait. Germaine se taisait, gênée d'en avoir peut-être trop dit. Et puis Rose eut pitié d'elle et lâcha tout à trac :

– Oh, va, Germaine, on le sait bien, qu'il est allé à Grandmont. Et puis, tant mieux, vois-tu, le maquis a besoin d'hommes...

Germaine, soulagée, se remettait à frotter vigoureusement.

– Vous aussi, vous pensez cela, mademoiselle Rose ! Nous autres, chez M. l'abbé, nous disons comme vous. Surtout en ce moment…

— Bien sûr, dit Rose. Bien sûr…

— Dites, mademoiselle Rose, vous le feriez, vous ? Je veux dire, si on vous demandait de faire quelque chose qui était contre la loi, vous la feriez, cette chose ?

Rose rit, s'essuya le front avec son bras, la main savonneuse dégoulinant dans les mèches de son front.

— C'est vague, ce que tu me dis là, reprit-elle plus sérieusement. Ce qui est sûr, c'est que je ne ferais rien qui irait contre ma loi à moi, c'est-à-dire ma conscience. Et que si ma conscience allait contre la loi, eh bien je suivrais ma conscience sans hésiter.

Il y eut un silence pendant lequel on n'entendit que le bruit des brosses et le murmure chantant de l'eau qui s'écoulait d'un bassin dans l'autre.

Tout à coup, Germaine dit :

— Vous le savez, n'est-ce pas, qu'il y a quelqu'un chez nous ?

— Oui, fit tranquillement Rose. Il y a une femme. Je l'ai aperçue dimanche passé par la fenêtre de M. le curé. Et puis, il y a une quinzaine, on avait ouvert les tabatières du grenier pour aérer. Les trois. Ça n'arrive jamais. J'ai bien pensé qu'il y avait du nettoyage de printemps dans l'air ! Elle est arrivée à ce moment-là, pas vrai ?

– Ça fera quinze jours dimanche.

D'une voix différente, Germaine ajouta, très vite :

– Nous aurons besoin de vous, mademoiselle Rose.

Elle parlait bas, tout à coup, alors que personne ne pouvait les entendre. Et puis, sans regarder Rose, elle dit d'un trait :

– C'est une Juive. Elle est enceinte. Elle va accoucher d'ici quelques jours. Elle a été amenée par une relation de M. le curé. Il y a eu des rafles sur Libourne...

L'enfant naquit le 8 mai 1944, dans une chambre un peu retirée du presbytère. C'était probablement la première naissance que voyait la vieille bâtisse périgourdine mais sans aucun doute possible la première dont le bon curé se trouvait si proche par la force des choses. Dans une pièce voisine, il pria pendant toute la durée de l'accouchement et lorsque Rose vint enfin lui dire : « C'est un beau petit garçon », l'abbé Courgey fut tout attendri, versa même une larme, se dit que ce devait être cela le sentiment paternel et sourit en lui-même de l'étrange situation que lui envoyait le Seigneur.

L'enfant fut appelé Jean et le bon abbé s'empressa de lui délivrer un certificat de baptême pour parer à toute éventualité.

Les jours qui suivirent furent des moments de grâce dans le vieux presbytère. C'était un printemps radieux, le lilas double embaumait, le nouveau-né était vigoureux et serein, ne pleurant que lorsqu'il avait faim, s'apaisant sur le sein de sa mère aussitôt rassasié, dans la grande paix des tout-petits. Et l'image de l'abbé Courgey en robe noire, marchant à pas comptés entre les espaliers du verger aux côtés de la jeune mère, ou assis sur un banc à l'ombre du grand sureau au fond du jardin à regarder avec attendrissement l'enfant endormi, devait rester gravée dans la mémoire de Rose.

Elle venait chaque jour durant cette première semaine donner des soins à la mère et un coup de main à Germaine, apporter un pot de miel, une recette de cataplasme, du fenouil dont on faisait une tisane excellente pour les femmes allaitantes, aider à laver les linges de l'enfant, voir si l'on n'avait besoin de rien. L'abbé Courgey l'y avait engagée :

– Viens quand tu veux, Rose. Ils ne resteront pas longtemps, c'est trop dangereux. Ils sont en transit chez moi. J'ai mon idée pour les mettre tous les deux en sûreté. Mais il va falloir quelques jours, peut-être plus, pour mettre cela sur pied. En attendant, viens tant que tu le peux, surtout pour elle, la pauvrette qui est déjà séparée de son mari, Dieu seul sait jusqu'à quand. Donne-lui l'affection, le réconfort, la douceur féminine, tout ce qu'un vieux bonhomme comme moi ne peut pas lui donner.

Bientôt, Rose vint chaque matin et chaque soir, dès qu'elle avait un instant. Elle enjambait le petit mur qui séparait son potager du verger du presbytère. La jeune femme s'appelait Hannah. Elle était mariée depuis un an. Son mari était commis dans une graineterie en gros. Il était parti un matin travailler et n'était pas revenu. Hannah avait appris le lendemain soir qu'il avait été arrêté sur son lieu de travail et enfermé dans un camp aux environs de Bordeaux. Elle l'avait attendu, avec son gros ventre et ce bébé qui bougeait si fort quand elle était inquiète. Les rafles de Juifs se poursuivaient. Deux jours plus tard, Hannah avait été emmenée presque de force à la campagne, dans une ferme, par une voisine. Ensuite, elle avait été prise en main par ce réseau sans nom d'hommes et de femmes, ce maillage impalpable de justice humaine et de conscience individuelle qui, dans le silence, se nouait comme les fils d'une toile pour venir en aide aux Juifs en fuite. C'est ainsi qu'elle s'était retrouvée, à la veille d'accoucher, chez l'abbé Courgey, à Saint-Fiacre.

Le huitième jour après sa naissance, le petit Jean eut la diarrhée et se vida pendant une journée entière. Le soir, il était fiévreux, mou comme un chiffon et hurlait sans arrêt. Curieusement, Hannah ne semblait pas inquiète et Rose découvrit avec étonnement ce caractère hors du commun. Hannah tentait obstinément de mettre son bébé au sein, le promenait sans relâche en lui susurrant des chansons, rassurait les uns et les autres avec un sourire plein d'une sorte de mystère. « Ça va aller, disait-elle, ça va lui passer... » Et c'était vraiment une chose étrange que de voir cette mère d'un enfant en danger de mort plus sereine que tous ceux qui l'entouraient.

À 8 heures du soir, Rose, bouleversée, courut chercher sa mère qui, en plus de sa grande habitude des nourrissons, connaissait les plantes et pratiquait une médecine à la fois instinctive et empirique qui en avait sauvé plus d'un. Elle fit boire l'enfant à la cuiller, de l'eau de riz mêlée d'eau de chaux.

La diarrhée fut enrayée dans la nuit. Hannah avait gardé toute la journée son fils dans les bras en ne cessant de lui chanter ses vieilles chansons en hongrois ou en yiddish. À aucun moment, elle n'avait perdu son sang-froid.

Quand l'enfant se fut finalement endormi, elle dit en souriant à Rose :

– Tu vois, Dieu nous protège. Je le sais bien. Il faut faire confiance.

Rose, elle, s'était affolée comme si Jean eût été son fils.

Hannah avait cette intériorité et cette profonde liberté d'esprit qui marchent souvent de pair et vont à l'encontre des codes admis et des conventions. Elle avait de ces sorties imprévisibles, de ces phrases déconcertantes qui n'appelaient pas de réponse et pouvaient créer un malaise autour d'elle sans qu'elle s'en souciât le moins du monde. Germaine ne s'y faisait pas. Elle rinçait sa vaisselle en maugréant :

– Je la comprends pas, c'te fille. Y a pas, elle est pas comme tout le monde.

Rose, elle, riait. Et si ces manières directes heurtaient aussi parfois la simplicité bienveillante du brave curé, elles s'accordaient bien avec la jeune sagacité et la détermination de Rose. Elles s'entendirent au point de devenir des amies en moins d'une semaine. Germaine n'en revenait pas. Le soir, en lui servant sa tisane, elle disait à l'abbé Courgey :

– Le monde est drôle, y a pas. V'là deux filles, une de la ville, avec un petit sur les bras, juive en plus, l'autre qu'a toujours vécu en campagne, célibataire, qui connaît rien à la politique, et les v'là commères en moins de deux jours comme si qu'elles avaient toujours gardé les cochons ensemble !

Hannah avait un visage qu'on n'oubliait pas. Aucun des traits, pris individuellement, n'était beau. Un menton trop pointu, une bouche trop charnue, des yeux trop grands et trop rapprochés, un front qui n'en finissait pas. Mais tous ensemble formaient un visage d'une grâce infinie, un visage intense qu'adoucissait une auréole de cheveux fous, noirs comme le jais, constamment échappés du chignon. C'était une beauté torturée et sereine à la fois, habitée par un brasier intérieur, une beauté attirante et inquiétante, comme seule peut en susciter la proximité du feu et de la glace.

Au plus fort de leur amitié soudaine, Rose admirait éperdument ce mélange de retenue et de force d'âme chez Hannah qui, loin de s'épancher sur elle-même, de s'étendre sur ses propres angoisses, parlait avec une confiance tranquille de son avenir avec son mari et son fils.

Il lui semblait, à elle, qu'une telle confiance

eût été impossible. Par respect pour son amie, elle faisait mine d'adhérer, mais au plus profond d'elle-même, elle tremblait.

Le mercredi 10 juin 1944, Rose fut réveillée à 5 heures du matin par un grand bruit. Un vacarme tout proche, une porte défoncée, des cris. Elle se dressa sur son séant, reconnut la voix d'Hannah et des voix d'hommes, brutales et hurlantes. Elle comprit tout de suite et se précipita au jardin. Au moment où elle arrivait dans le potager, elle vit Germaine arriver en courant aussi vite que le lui permettaient ses vieilles jambes. Germaine était tout juste habillée, n'avait pas eu le temps de passer son tablier ni de coiffer ses cheveux gris qui s'échappaient en désordre d'un bonnet de nuit blanc à l'ancienne. Haletante, elle criait:

— Mademoiselle Rose! Prenez-le! Sauvez le petit! Sauvez le gosse!

Elle lui tendit par-dessus le mur un paquet vagissant. Rose attrapa l'enfant et se mit à courir vers le portillon de son jardin qui donnait sur les champs. Elle avait perdu ses pantoufles et traversa la pâture en courant, les pieds nus griffés par les chardons. L'enfant hurlait de plus belle. Elle gagna le petit bois, s'enfonça sous le couvert sans cesser de courir, se prenant les pieds dans les racines, déchirant sa robe aux ronciers. Elle continua sa course folle jusqu'à ce qu'elle fût sûre que les cris ne pouvaient plus être entendus du village. Alors, elle s'écroula sous un vieux chêne et entreprit de calmer le petit Jean.

Rose éleva Jean comme s'il eût été son fils. Elle avait su tout de suite qu'Hannah ne reviendrait jamais. On le savait que les Juifs ne revenaient pas, ceux qui voulaient savoir savaient. Il y avait maintenant un enfant. Ce fut une évidence, que sa mère, avec qui elle vivait, accepta également comme telle, avec la même simplicité. Pour dire le vrai, avec plus de simplicité encore.

La simplicité de ceux qui ne se posent pas de question quand ils jugent qu'il n'y a pas lieu.

Pour Rose, les choses étaient plus complexes. Que la mort d'Hannah fût synonyme d'une nouvelle vie pour elle n'allait pas de soi. Elle avait une âme ardente, qui ne se satisfaisait pas de la fatalité, une âme qui cherchait aux choses des racines et aux événements des enchaînements. Une âme mûre pour les choses du destin. Et c'est ainsi qu'elle avait reçu l'arrivée de Jean. Comme la justification vivante de sa conscience, comme la résultante d'un acte de refus profond qu'elle avait fait quatre ans plus tôt, comme une sorte de gratification divine pour cet acte. Quand, dans un élan de confiance, elle avait tenté d'exprimer tout cela à sa mère, celle-ci avait haussé les épaules :

– Ma pauvre Rose, qu'est-ce que tu vas chercher là ?

Et Rose se disait que sa mère avait sans doute raison.

Parfois, elle regardait les grands yeux noirs de Jean, les yeux d'Hannah, trop grands, trop rapprochés, et ces boucles blondes qu'il devait garder jusqu'à l'âge de dix ans, celles d'un père disparu avant d'avoir été père, un père dont le souvenir même ne laissait plus de trace dans aucune mémoire. Un père deux fois disparu. Et le contraste entre les yeux sombres et la tignasse blonde semblait répondre à un autre contraste qui ne pouvait manquer de frapper, entre une destinée qui semblait promise à la tragédie et la franche gaieté de l'enfant qui appelait tous les possibles du monde.

Jean était rieur, ouvert, confiant et doué pour la vie au point qu'on pouvait imaginer que cette immersion originelle dans le drame absolu l'avait trempé contre tous les malheurs de l'existence.

Il eut un an tout juste le jour de la fin de la guerre et il trottina toute la journée en gazouillant sur la place du village pendant que l'on chantait et s'embrassait, et puis toute la soirée pendant que l'on dansait au son de l'accordéon.

Quand Jean eut trois ans et demi, Rose entreprit des études pour passer son diplôme de sage-femme. Elle dut quitter Jean pour la première fois et ce fut aussi la première vraie tristesse de l'enfant. Il restait dans les jupes de sa mamette en demandant : « Pourquoi les mamans, elles s'en vont ? » Et la mamette répondait en tournant sa pâte à beignets : « Elles s'en vont pour revenir. »

En 1949, Rose épousa Raymond Ponteux, le fils d'un agriculteur de Nieules qui la prit avec son gamin. Raymond avait passé la dernière année de la guerre dans le maquis de Grandmont et, déjà là-haut, il avait su l'histoire de Rose et du petit bébé juif. Cela s'était dit un soir, autour de la grande tablée, et les hommes de Grandmont n'avaient pas caché leur admiration pour la « petite Rose de Saint-Fiacre » que beaucoup connaissaient. Après la guerre, il lui avait fait la cour et Rose avait longtemps résisté parce qu'elle ne voulait pas imposer à un homme l'enfant d'un autre.

L'année suivante, Rose eut un petit garçon qu'elle appela André, parce que le vrai papa de Jean s'appelait Andràc, André en hongrois.

Rose avait posé ses lunettes sur la table de la cuisine. Elles ne lui convenaient pas, il faudrait aller à Bergerac chez l'oculiste. Demain, après le marché, peut-être. L'odeur entêtante des pois de senteur dans le carré du potager, juste à droite de la cuisine, entrait par la porte grande ouverte et, avec le soleil montant, les abeilles bourdonnaient par dizaines dans les jardinières de pétunias.

On était en juin. Cela ferait cinquante ans après-demain... Rose sourit dans le vague.

— Cinquante ans après-demain, dit-elle à voix haute. Puis, regardant Raymond, le menton dans la main : cinquante ans que je suis mère de notre Jean. Tu te rends compte, mon Raymond ! C'était bien le 10 juin... Et il faut que ça soit eux, là-haut, à Paris, qui me le rappellent... Je me demande même comment ils le savent.

Raymond avait terminé son café. Il était patient, il ne la brusquait pas. Il ne l'avait jamais brusquée, Rose, il était la douceur même et c'était d'un homme comme cela qu'elle avait eu besoin lorsqu'elle s'était retrouvée à vingt-quatre ans à élever seule un gamin qui n'était pas le sien, avec déjà toute une vie de duretés derrière elle.

– Sers m'en donc un fond, disait Rose, encore qu'il doit être froid.

Et puis elle rechaussait ses mauvaises lunettes et lisait, pour Raymond, cette fois :

Madame,
Nous avons le plaisir de vous annoncer que Yad Vashem vous a décerné le titre de «Juste parmi les Nations», pour avoir aidé, à vos risques et périls, des Juifs pourchassés pendant l'Occupation.
Une médaille et un diplôme d'honneur à votre nom seront envoyés prochainement...
Veuillez agréer, etc., etc.

Rose relevait la tête, ôtait ses lunettes et riait tout à coup.

– L'État d'Israël m'octroie la médaille des Justes. Je suis médaillée, Raymond, tu te rends compte !

Elle riait maintenant, et c'était une joie étrange, un rire qui ressemblait à un sanglot.

– Je te le dis, qu'ils sont tombés sur la tête. Ils sont fous, là-haut !

Raymond lui prenait la main doucement.

– Peut-être ne sont-ils pas si fous que ça, ma Rose, pas si fous que ça.

À présent, des larmes coulaient sur les joues de Rose, se mêlaient au sourire qui flottait encore.

– Oh non, je n'ai fait que ce que je devais faire. Comme mettre au monde un enfant lorsqu'on l'a porté pendant neuf mois et ensuite l'élever. Ni plus ni moins. J'ai suivi ma conscience et ma conscience allait dans le sens de la vie, c'est tout. J'ai fait ce que j'avais à faire, ça s'arrête là.

Deux mois plus tard, elle redisait exactement les mêmes paroles, à l'hôtel de ville de Bordeaux, devant un micro et trois cents personnes émues aux larmes.

– Je n'ai fait que ce que je devais faire. Rien de plus, rien de moins.

Et c'était vrai.

Rien de plus, rien de moins.

La cabane

Manuel Irribe se fit prendre un vendredi soir, dans une cave, avec huit mètres de corde. Son père fut convoqué à la gendarmerie de Saint-Girons où il lui fut dit que voler du matériel n'était pas une chose à faire par les temps qui couraient. Au sortir de la gendarmerie, Manuel reçut la première gifle de sa vie, une gifle qui le projeta contre le mur de la rue. Son père ajouta :

— Si jamais j'ai encore affaire aux gendarmes, même de loin, à cause de tes bêtises, je t'envoie chez ta tante et tu y restes bouclé jusqu'à la fin de la guerre.

Sa voix était terrible, il en tremblait. Manuel ne l'avait jamais vu dans cet état et il sentit que son père ferait ce qu'il disait. L'oncle et la tante vivaient en pleine montagne avec leurs brebis, rien de drôle. Il se le tint donc pour dit et se promit d'être plus prudent à l'avenir.

À Saint-Girons, dans l'Ariège, en 1942, la vie n'était pas plus dure qu'ailleurs, si ce n'était la présence proche de trois grands camps d'internement qui regroupaient dans des conditions atroces des milliers d'hommes, de femmes et d'enfants. Des Juifs, essentiellement. On le savait. Mgr Saliège, l'archevêque de Toulouse, l'avait vigoureusement dénoncé dans un sermon qu'il avait fait dire par tous les curés de sa région le dernier dimanche d'août. Ce dimanche-là, bien qu'interdites par le préfet, les puissantes paroles de l'archevêque avaient résonné dans la plupart des églises :

– Dans notre diocèse, des scènes d'épouvante ont eu lieu dans les camps de Noë et de Récébédou. Les Juifs sont des hommes, les Juives sont des femmes. Tout n'est pas permis contre eux, contre ces hommes, contre ces femmes, contre ces pères et ces mères de famille. Ils font partie du genre humain ; ils sont nos frères…

La mère de Manuel avait vu passer, par un petit matin sale, tous les bus de la ville pleins de ces fantômes effarés, vêtus à la hâte, enfants hurlants arrachés à leur sommeil, mères hagardes tentant pour apaiser l'angoisse de rendre par la seule douceur du regard cette paix qui n'était plus en elles. Elle s'était levée aux aurores pour attraper le bus improbable qui l'emmènerait dans une de ces campagnes voisines où elle savait pouvoir trouver œufs et pommes de terre. Elle était revenue sans rien, ni œufs ni pommes de terre, rien que l'image fugitive d'un cauchemar qui hanterait ses jours et ses nuits.

À la maison, elle n'avait rien dit. Seulement qu'elle n'avait pas pu avoir les pommes de terre parce que les bus avaient été réquisitionnés. M. Irribe s'était contenté de hocher la tête et les petites filles avaient fait la grimace devant leur assiette de topinambours.

Manuel réussit finalement à se procurer la fameuse corde, une semaine seulement après l'épisode de la gendarmerie. La corde d'un puits désaffecté à trois kilomètres de la ville. C'est Michel qui l'avait repérée et jusqu'à ce que tout fût prêt, ils la cachèrent dans un bosquet de coudriers à quelques dizaines de mètres de la route.

Michel avait deux ans de moins que Manuel. Douze ans tout juste. Manuel en aurait quatorze en mars. Ils étaient amis depuis les petites classes. De cette amitié entre un plus petit et un plus grand, un plus fort et un plus faible qui, lorsque le handicap de l'écart est surmonté, semble aussi indestructible qu'un lien fraternel, davantage peut-être parce que librement choisi. Une amitié qui mettait très simplement en pratique une complémentarité naturelle. C'était presque trop simple pour paraître vrai, mais c'était ainsi. Manuel n'était pas seulement plus âgé et plus mûr de deux ans, il était notablement mieux bâti, et le petit Michel, avec ses jambes grêles et sa petite taille pour son âge, ne cessait de courir et de sautiller à ses côtés. Manuel consultait et agissait :

– Qu'est-ce que tu crois, Michel, on y va, on le fait ?

Michel conseillait, approuvait ou désapprouvait.

– T'es pas fou ? T'as un petit pois dans la tête ou quoi ? Réfléchis deux minutes !

C'était lui qui avait les idées, les plus audacieuses, en tout cas. C'était lui, l'elfe, l'inspirateur et l'Hermès. Pour Manuel, Michel était tout, la beauté, la force, la vie en concentré. Sans Michel, il ne se sentait pas exister.

La guerre, elle était là, elle était leur décor et plus que cela, mais ils n'en parlaient pas plus que cela. À quatorze et douze ans, ils avaient cette capacité farouche de s'abstraire de ce qui dérangeait leur vie sans ce désir trouble d'être des héros qui viendrait un peu plus tard. Depuis toujours, ils avaient leur monde et ce monde changeait d'une saison à l'autre. En cette fin d'année 1942, ils s'étaient pris de folie pour la construction d'une cabane, une cabane plus que parfaite qui abriterait leurs secrets et dont personne ne connaîtrait l'existence.

L'idée, l'idée folle, c'était le plus petit qui l'avait eue.

— La cabane, si elle est bien, et confortable, et peinarde, tu pourras y inviter Jeannette !

Jeannette avait quinze ans et Manuel l'aimait d'un amour de garçon plus jeune, un amour silencieux et sans espoir, qui avait tout à gagner et rien à offrir. Mais c'était quoi, au juste, une cabane « peinarde » ?

— Planquée, bien sûr, personne pourra jamais la trouver, avait dit Michel.

Une cabane dans un arbre. L'idée avait mûri, progressé jusqu'à prendre corps. Après tout un Noël que leur imagination avait illuminé, un Noël que la guerre n'était pas parvenue à glacer, passé à élaborer des plans, les deux garçons avaient choisi l'arbre idéal, magnifique, pas trop voyant pour autant, et attendu avec impatience la fonte des neiges qui autorisait le début des travaux.

Ils construisirent un palais, à la première fourche d'un hêtre centenaire, ample comme un trône de roi capétien. Il fallut chercher des choses introuvables, ruser pour un mètre de ficelle, faire des kilomètres sous la pluie pour un bout de fil de fer repéré sur une vieille clôture, récupérer des clous rouillés dans une baraque abandonnée à l'entrée du bourg. Le tout sans se faire voir, à la nuit tombante, entre la sortie de l'école et le souper, en janvier, février, quand les jours sont courts. En février, l'épisode de la corde interrompit leurs travaux une petite semaine. Ensuite, il fallut redoubler de prudence. Mais avec la guerre, ils avaient appris à se taire.

La guerre, c'était aussi la loi du silence. Qui pensait quoi? Que pouvait-on dire? À peu près rien. La discorde, la trahison étaient en germe dans chaque conversation de café, dans chaque entreprise, dans chaque famille, dans chaque communauté humaine, si petite soit-elle. L'ère du soupçon, le règne omnipotent de la méfiance. On se taisait donc. Même si l'on n'avait rien à cacher, il y avait toujours quelque chose à taire. Les petits le sentaient bien.

La réalisation de leur plan secret plongea les deux garçons dans une sorte d'ivresse. L'idée de Jeannette, là-haut, un jour, cachée avec eux, avec lui, riant peut-être, décupla les forces et l'imagination de bâtisseur de Manuel. Mais le jour où cette idée devint de l'ordre du possible, il fut pris de panique.

Il voulut profiter de leur cabane pour eux tout seuls d'abord. En cette fin d'hiver 1943, Jeannette fut tenue hors du secret, comme tous les autres. Ce ne fut d'ailleurs pas difficile parce qu'ils ne la voyaient jamais, sauf parfois de loin dans la rue, et que Manuel n'avait en réalité jamais encore osé lui parler.

À partir du mois de mars, le 3 exactement, jour des quatorze ans de Manuel, les deux garçons se donnèrent rendez-vous à la cabane tous les soirs après l'école. De leur mirador, ils n'avaient pas grande vue à cause des frondaisons et le printemps naissant n'arrangerait pas les choses. Mais ils gardaient une percée sur la grande allée qui menait à la route et cela leur semblait d'une haute valeur stratégique. Pour quelle guerre, ils ne savaient pas au juste.

Ils savaient simplement qu'il était vital de pouvoir se cacher des autres.

Et que voir sans être vu était une clef de toute-puissance.

Le soir où l'orage éclata, Manuel était venu seul. Le rendez-vous avec Michel était incertain, sa mère avec qui il vivait seul étant malade. Vers 6 heures du soir, en quelques minutes, le ciel chargé se couvrit totalement et il fit nuit noire. L'orage creva avec une rare violence et fut suivi d'une pluie diluvienne. Recroquevillé dans la cabane, Manuel sentait les éléments se déchaîner autour de lui. Il écoutait avec une sorte de jubilation la pluie battre le feuillage, goûtant comme s'il la palpait physiquement la parfaite étanchéité de son abri, la tiède sécheresse qui l'enveloppait dans son réduit de branchages. Michel ne viendrait plus maintenant, c'était sûr. L'orage s'éloigna, mais la pluie ne cessait pas, au contraire, elle redoublait de violence et, au bout d'une heure, Manuel observait avec anxiété une fine coulure qui avait réussi à forcer le couvert du toit et qui descendait le long du mur.

Ce fut cette eau battant les feuilles, mêlée au grand vent d'orage, qui masqua le gémissement. Un gémissement sourd qui venait de nulle part et que Manuel ne remarqua pas tout d'abord tant il prenait part à la rumeur environnante. Puis la pluie s'affaiblit et Manuel prêta l'oreille. Il était près de 8 heures. Le vent était tombé et une sorte de nuit ressemblant à un mauvais jour naissant s'était installée. Manuel sauta de son perchoir, regarda autour de lui, hésita un instant sur le parti à prendre. Chercher d'où venait le bruit, courir d'abord chercher Michel. Il venait d'opter pour la première solution quand il entendit la voix de Michel.

– Manuel! Manuel! Viens!

Michel parlait bas mais sa voix était impérieuse.

Il surgit d'entre un bouquet d'arbres, trempé comme une soupe et au comble de l'agitation.

– Il y a un type blessé, à moitié mort, il saigne de partout! Il ne veut pas qu'on aille chercher de l'aide, rien. Il veut rester ici! Viens m'aider!

Manuel ne comprit pas grand-chose mais d'un bond il fut près de lui. Quelques instants plus tard, ils étaient dans l'ancienne carrière qu'ils connaissaient bien tous deux, envahie de bouleaux. L'homme gisait sous un rocher saillant, roulé contre la paroi, couvert de glaise et de sang. Il gémissait par à-coups.

– J'ai passé tout l'orage avec lui sous ce rocher. Il dit qu'il est tombé de là-haut, que son bras est cassé, qu'il faut l'aider mais qu'il ne doit pas être vu en ville ni par personne. Il a l'air de souffrir!

Doucement, les deux garçons retournèrent

l'homme pour tenter de voir son visage. Il fit une affreuse grimace, gardant les yeux clos. Sa jambe droite restait pliée sous lui. Dans la presque obscurité et malgré la boue, Manuel vit parfaitement la tache sombre qui s'agrandissait sous la cuisse droite.

— Il n'a pas seulement le bras cassé, il a reçu une balle, dit Manuel.

C'est alors que l'homme parla :

— Je m'appelle André..., commença-t-il.

— Et nous, c'est...

Manuel l'avait interrompu.

— Je ne veux pas le savoir ! tonna brusquement l'homme d'une voix étrangement forte. Je ne veux savoir ni qui vous êtes ni d'où vous venez ! C'est clair ?

Les deux garçons étaient déconcertés. En même temps, il émanait de cet homme blessé une sorte de puissante autorité qui inspirait totalement confiance. André reprit sur un ton plus calme :

— Vous savez garder un secret ?

Cela tombait sous le sens.

— Personne ne doit savoir que je suis là. Personne d'autre que vous. Vous comprenez ce que ça veut dire ?

Les deux garçons hochèrent gravement la tête. Ils comprenaient parfaitement.

André reprit :

– Il n'est pas question que je crève. Vous allez m'aider à me cacher et à guérir. Je ne vous dirai rien sur moi, vous ne me direz rien sur vous. Le minimum. Le minimum pour le maximum. Vous servez une grande cause, c'est tout ce que je peux vous dire. Ça marche?

Et comment! Manuel et Michel se sentaient proches de cet homme sans savoir pourquoi. Comme s'il faisait partie de leur histoire depuis toujours. Leur histoire secrète, leur histoire sans nom.

– La balle, reprit André, elle est pas loin, 4 ou 5 centimètres dans la cuisse. Il faut l'enlever. Avec mon bras droit en bouillie, rien à faire. Et je suis droitier. J'ai un bon couteau, là, dans ma poche. Lequel d'entre vous n'a pas froid aux yeux?

A priori, aucun des deux, mais ce fut quand même Manuel qui planta le couteau dans la chair meurtrie et fouailla la cuisse ouverte à plusieurs reprises, encouragé par André grimaçant, avant d'extirper la balle. Sur ses indications, ils bandèrent ensuite étroitement la plaie avec des lanières déchirées dans la chemise propre de Michel.

André avait beaucoup souffert. Quand la douleur eut desserré sa tenaille, il leur lança un long regard.

— Le plus dur est fait, mais ce n'est pas le tout. Il faut que je me répare quelque part dans un trou. Ensuite, je disparais, vous n'entendrez plus jamais parler de moi…

La décision fut prise sans qu'ils aient eu besoin d'échanger une parole. Michel resta près du blessé. Manuel alla confectionner un brancard de fortune avec des branchages. Une heure plus tard, ils étaient au pied du hêtre.

— C'est là-haut ? disait l'homme. C'est formidable, les gars, mais comment je vais monter avec ma patte folle et mon bras cassé ?

Manuel et Michel se regardèrent. En cet instant grave, crucial, ils venaient d'avoir la même pensée. Le détail idiot. La chose bête à laquelle la situation présente les renvoyait brusquement et ils en avaient presque honte. Jeannette. Si l'homme blessé ne pouvait pas monter, Jeannette, elle, ne le pourrait jamais ! Manuel haussa les sourcils en une mimique d'impuissance, fit une drôle de grimace en direction de Michel qui eut une réponse de circonstance :

— Faut faire un treuil. On va faire un treuil avec un morceau de corde. On a de la corde là-haut.

En un instant, il était allé chercher un bon bout de corde à laquelle ils fixèrent un morceau de bois. La corde fut jetée par-dessus la grosse branche qui portait la cabane.

– Ça va être dur, monsieur, dit Michel…

– André! reprit l'homme. De toute façon, on n'a pas le choix. Il va bien falloir le faire, vous comme moi. Moi, je me débrouille avec mes bobos, mais vous, il va falloir vous arracher. Je suis lourd. Et tâchez de faire vite, avant que je ne puisse plus tenir. Je ne voudrais pas m'abîmer davantage. J'ai encore des choses à faire…

L'étrange dureté de l'homme déconcertait les deux garçons. En même temps, elle les stimulait et ils réussirent, par un effort surhumain, à hisser cet homme blessé, massif, beuglant à chaque tressautement de la corde contre la branche rugueuse qui la sciait en même temps. C'était clair, pour la suite, il faudrait absolument se procurer une poulie, bien passante, bien huilée. Ce n'était pas une denrée facile à trouver mais la condition *sine qua non* pour toute invitation ultérieure.

Pendant un mois, ils vinrent tous les jours porter à André de l'eau et de la nourriture, ce sur quoi ils pouvaient mettre la main, presque toujours prélevé sur leur propre ration : un quignon de pain, un morceau de saucisse, une pomme de terre, subrepticement glissés de l'assiette dans leur poche. André guérissait lentement. La blessure à la jambe avait commencé par s'infecter et, pendant quelque temps, il avait souffert nuit et jour. Michel avait déployé des trésors d'ingéniosité pour se procurer des remèdes ; il avait réussi à trouver de l'alcool, de la teinture d'iode et de l'aspirine. Manuel avait apporté une des couvertures de son propre lit et sa mère se contenta de remarquer que depuis une semaine, il faisait son lit tous les matins.

Fin mai, André était presque guéri. Le bras droit avait pratiquement retrouvé sa mobilité et André pouvait maintenant sauter à bas de l'arbre, faire quelques pas alentour et remonter en s'aidant de ses deux bras. Les garçons s'était accoutumés à ce caractère taciturne et entier. Si parfois il semblait un ours mal léché, c'était un ours qui savait remercier, fût-ce par un grognement d'une expressivité étonnante. Malgré ses manières brusques, il avait la faculté de faire sentir aux autres qu'ils lui étaient indispensables et c'était là un don de soi que les garçons percevaient à sa juste valeur. Ils s'attachèrent profondément à cet homme, à cette vie.

Un soir de juin, quand ils arrivèrent à la cabane, comme tous les jours, le nid était vide. André était parti. Sans un mot, sans prévenir. Rentrés chez eux, ils pleurèrent l'un et l'autre, en cachette. Le lendemain, dans la cabane qui leur parut désespérément vide, ils parlèrent d'André. Et puis plus jamais.

À la mi-juillet, ils apprirent que Jeannette était partie vivre chez ses grands-parents à la campagne, à Aspet. Elle avait quitté Saint-Girons en avril, ils n'avaient rien su. Manuel en fut un peu mortifié et prit un air de circonstance. Michel se contenta de bougonner :

— Et alors ? Il n'y a pas que Jeannette…

C'était vrai, il n'y avait pas qu'elle. Ils ne parlèrent plus de Jeannette et se remirent de plus belle en quête de la fameuse poulie.

Vers la fin du mois de septembre, Manuel et sa mère étaient seuls à la maison. Les petites étaient allées passer la fin de semaine chez leur tante. La soupe était sur la table. On attendait le père qui tardait. À 9 heures, la porte s'ouvrit finalement, avec un bruit hésitant, inhabituel. Le père de Manuel entra, marqua un temps d'arrêt. Il était suivi d'un homme vêtu d'un grand manteau noir et coiffé d'un béret.

— C'est Marcel, fit le père, il doit être demain en Espagne. Il passe la nuit ici.

– André! souffla Manuel qui resta bouche bée, les yeux rivés sur son ami.

L'autre avait l'air tout aussi étonné.

– Non, Marcel!

Et se retournant vers M. Irribe:

– C'est donc ton gamin? Un sacré petit gars, je peux te le dire!

Et il raconta tout. Les deux mois couché sur un lit de feuilles, blessé dans la cabane de l'arbre, les soins attentifs des deux garçons, la nourriture apportée toutes les nuits au mépris de tous les risques. Le père Irribe hochait la tête en souriant

– C'était donc ça…! Je suis fier de toi, garçon, tu sais tenir ta langue.

Marcel partit le lendemain matin avant le jour. Manuel ne le revit pas. Alors qu'il avalait pensivement son café, la porte de la cuisine s'ouvrit d'un coup et Michel déboula, les yeux brillants, tout enflammé. Il regarda rapidement autour de lui, comme un conspirateur.

– Tu sais quoi? J'ai trouvé une poulie!

Manuel se leva d'un bond avec un cri de joie et ils filèrent vers le bois.

Brouillard de neige

Joseph avait dix ans quand sa mère disparut un jour à ses yeux au bout d'un champ de cerisiers en fleur, à flanc de montagne. C'était en mai 1944, un matin, et avec cette disparition, ce fut toute sa vie qui sombra. Tout ce qui précéda immédiatement cet instant fut englouti corps et biens. Joseph resta seul avec la silhouette de sa mère perdue dans un brouillard de fleurs de cerisiers. Tout ce qui se passa ensuite disparut aussi, comme si cela était arrivé à un autre que lui. Pendant des mois, des années, Joseph attendit sa mère.

Les premiers jours qui avaient suivi le départ sans retour d'Anna Slitky, Jospeh avait été recueilli par une famille amie, une famille juive, les Lemel. Mais l'étau se resserrait dans la zone sud, les rafles contre les Juifs se multipliaient et les Lemel avaient dû se cacher, eux aussi. Joseph s'était retrouvé d'abord à l'OSE, un organisme qui s'occupait des enfants juifs, puis, en mai 1945, dans une famille d'accueil, les Boivent, qui avaient une fille de treize ans, Louise. Louise était une grande et belle fille sportive, aux boucles rousses. Elle avait une fraîcheur et une gentillesse innées, savait d'instinct percer les carapaces et les sentiments enfouis et, dès les premières heures passées ensemble, Joseph avait senti en Louise quelqu'un de précieux. Jour après jour, ils étaient devenus essentiels l'un à l'autre. Louise se sentait investie d'une sorte de devoir de protection et de compréhension qui comblait totalement sa nature généreuse. Quant à Joseph, il la suivait comme un chiot et ne souriait qu'en sa présence.

Depuis l'arrestation de sa mère, en quelques mois, Joseph s'était éteint comme une lampe. À son arrivée chez les Boivent, il était un petit animal traqué, craignant le contact, se taisant obstinément lorsqu'on l'interrogeait. Le contraste entre les deux enfants était saisissant.

Louise aimait nager, courir et rire, et ce mois d'août 1945 passé ensemble au bord de la mer près du Grau-du-Roi avait été pour Joseph une véritable renaissance. Ses petites jambes maigres avaient forci, son torse s'était redressé, le soleil avait bruni son visage et doré ses cheveux blonds.

Jean et Jacqueline Boivent avaient été les premiers à sentir la force salvatrice du rapport qui liait Joseph à Louise. Durant tout ce mois d'août, ils l'avaient observé, avec étonnement d'abord, puis avec une certaine joie. C'était une relation hors du commun, une sorte de relation parfaite, dans laquelle toute la douleur de l'un trouvait son exact répondant dans tout le bonheur de l'autre. Si quelqu'un pouvait « sauver » Joseph, c'était Louise et elle seule.

Les premières semaines, Joseph avait si peur d'être pris la nuit et emmené pendant son sommeil qu'il les avait passées assis sous l'escalier du vestibule, entre les bottes crottées et les pantoufles de la famille. Il attendait là, des heures parfois, que tout le monde soit couché, la lumière du salon éteinte, avant de monter à son tour en évitant les marches qui craquaient. La plupart du temps, il restait encore assis dans son lit, l'oreille tendue, guettant le moindre bruit suspect, ne s'endormant que vaincu par le sommeil.

C'est durant un de ses séjours sous l'escalier qu'il entendit pour la première fois parler de son père. Les parents de Louise étaient au salon. Jean Boivent disait à sa femme :

– La dernière lettre du père remonte à janvier 42. Il semblerait qu'il se soit engagé en 39 comme Polonais pour aller se battre sur le front du Nord, qu'il ait été arrêté en juin 40 et relégué en Suisse. Si c'est le cas, il est peut-être encore vivant, la Suisse étant un pays neutre. Il a sans doute refait sa vie là-bas…

– C'est à espérer, disait Jacqueline Boivent, sinon, en tant que Juif polonais, il avait peu de chances de s'en tirer. Comment s'appelait-il déjà ?

– Chaïm. Chaïm Slitky. Tu as remarqué, Joseph n'en parle jamais. Pourtant, avec son magasin de mercerie, il devait passer du temps chez lui…

Joseph n'avait aucun souvenir de son père et il s'était par la suite efforcé d'oublier cette conversation qui ne lui était pas destinée et qui l'avait mis mal à l'aise.

Chaïm Slitky s'était manifesté en décembre 1945, alors que Joseph vivait dans sa famille adoptive depuis six mois. Cela ne s'était pas bien passé. Dès cette première rencontre Joseph avait ressenti une méfiance, puis une véritable haine pour ce parent qui se présentait en lieu et place de la mère dont il espérait le retour. En ce mois de décembre 1945, six mois après la fin des hostilités, le père de Joseph proposait mollement de reprendre son fils, ce à quoi M. Boivent avait répondu que bien entendu si Joseph et son père le souhaitaient, mais en attendant que ce dernier ait pu remettre le magasin en ordre de marche et en tout cas jusqu'à la fin de l'année scolaire, Joseph pouvait bien sûr rester chez eux. Il était presque de la famille à présent. Le père avait dit :

— C'est cela, on verra à la fin de l'année, que je puisse l'accueillir dans une maison décente. Et puis, le lycée est près de chez vous, c'est vrai que chez moi, il devrait être pensionnaire…

Joseph était en équilibre sur une chaise, les deux genoux entre les bras, serré comme un poing. On n'avait pas évoqué sa mère. Personne. Même pas ce « père ».

Par la suite, Joseph avait ruminé un noir ressentiment contre ce M. Slitky qui avait abandonné sa mère.

— Tu comprends, disait-il à Louise, maman et moi avons dû tenir le magasin tout seuls pendant la guerre, pendant qu'il y avait toutes les lois contre les Juifs et les recensements et le mot « Juif » sur nos cartes d'alimentation. Pendant ce temps-là, il était caché en Suisse.

Louise avait beau lui expliquer que les choses ne s'étaient pas passées tout à fait ainsi, Joseph refusa obstinément pendant des semaines de rendre visite à son père.

Au fil des mois, il se murait. Peu à peu, il avait presque cessé de parler. Au lycée, il travaillait, réussissait avec une facilité déconcertante. Communiquait le moins possible, ne se confiait jamais. Cette conjonction d'intelligence et de silence suscitait chez ses camarades la raillerie, l'envie, le rejet, la méchanceté. Joseph semblait ne pas s'en apercevoir. Il s'asseyait chaque jour, sans se soucier de l'effet produit, au premier rang de la classe pour ne pas être gêné dans son travail par le brouhaha des élèves et pouvoir écouter la leçon. À la maison, entouré par les Boivent autant que la générosité et l'intelligence du cœur peuvent le faire, il s'absentait de même. Depuis maintenant deux ans qu'il vivait chez eux, il s'obstinait à appeler ses parents adoptifs monsieur Boivent et madame Boivent, au lieu de Jean et Jacqueline, comme ils le lui avaient si souvent demandé.

Il connaissait des bonheurs parce que sa nature était profonde mais il en connaissait toujours en même temps la face noire, imprévisible, violente, qui le jetait simultanément dans un désespoir sans fond. Joseph s'était

accoutumé à ces moments étranges, contra-
dictoires, qu'il ne partageait avec personne.
Il les attendait avec une sorte d'anxiété impa-
tiente. Et lorsqu'ils ne venaient pas, il y avait
toujours ce trou, cette angoisse. Quelque
chose manquait à sa mémoire et ce manque
le torturait.

Louise seule l'éclairait. Non qu'elle fût
une confidente. Cela semblait impossible
et c'était précisément autour de ce vide de
confiance que se nouait le drame de Joseph.
Mais Louise l'aidait à vivre. Elle le nourris-
sait de sa vitalité et de sa tendresse, au même
titre que sa propre avidité d'apprendre en
classe. Avec Louise, il partageait. Non des
sentiments communs, non des idées ni des
désirs fous, simplement quelque chose de
la vie de tous les jours et ce presque rien
était presque tout. De toutes les personnes
qui l'entouraient, de près ou de loin, Louise
était la seule qui ne lui demandait rien. Rien
en échange de sa présence. Elle pouvait lui
raconter une blague et rire toute seule de sa
blague. Le rire de Louise le faisait sourire et
l'instant était gagné. Ce fut Louise qui lui
suggéra d'écrire son journal, comme ça, un
jour, en passant :

— Tu devrais tenir un journal, tu verras,
c'est bien.

106

Le 10 janvier 1947, Joseph commençait son journal par ces lignes :

Que penser ? Comment penser ? Il faudra bien, pourtant, avoir le courage de penser. Penser à maman, il n'y a pas un jour où je ne pense à elle. Non, mais penser à tout cela, à l'histoire, à toute cette histoire.

Quelques jours plus tard, il se laissait convaincre par Louise de rendre visite à son père. Ils se rendirent tous les quatre à Saint-Didier. Ce fut un moment un peu convenu, un peu raide. Joseph n'ouvrit pas la bouche. Mais il avait eu lieu et pour les Boivent c'était essentiel à la santé mentale de Joseph.

En mars, Chaïm Slitky renouvela l'invitation, en annonçant cette fois la visite d'un très vieil ami qui avait connu Anna, la mère de Joseph. Cela suffisait pour rendre à Joseph cette visite non seulement acceptable mais vitale. Jusqu'au dimanche, il fut nerveux et agressif. Il se rendit à Saint-Didier seul avec Louise. L'homme s'appelait André Salzberg et ses traits évoquaient vaguement quelque chose à Joseph mais, à aucun moment, malgré ses efforts désespérés, il ne parvint à fixer ce visage dans un souvenir qui le reliât à sa mère.

Journal de Joseph. 7 mars 1947.

Aujourd'hui, un vieil ami du temps de mes parents est venu prendre le café chez mon père qui ne l'avait pas vu depuis le début de la guerre. Il a été arrêté à Vaison-la-Romaine un jour avant maman, il a rencontré maman sur le quai de la gare d'Avignon... Il a raconté comment, dans le wagon à bestiaux où ils étaient entassés, il y avait un trou et comment lui et un autre ont sauté dans un tunnel où le train ralentissait. Ils ont voulu emmener ma mère mais elle n'a pas voulu sauter.

La rencontre avec le vieux Salzberg bouleversa profondément Joseph. Un élément capital du puzzle venait de trouver sa place.

Sa mère avait été emmenée loin, en train. Là où d'autres s'étaient sauvés, elle n'avait pas voulu sauter. Et aujourd'hui, elle n'était pas là. Mais où allait ce train ?

Journal de Joseph. 12 avril 1947.

Ça y est, ça revient. Ça me reprend. La chose affreuse revient depuis hier. Comme chaque année depuis que maman est partie. C'est une espèce de douleur qui me prend au cœur et qui remonte à la gorge.

Pour la première fois, il se donnait un confident. Au vrai sens du mot : quelqu'un à qui l'on se confie, à qui l'on confie tout le bouillonnement intérieur, qui n'a pas de forme tant qu'il n'est pas en mots, sinon celle, immonde, de l'angoisse.

Journal de Joseph. 4 mai 1947.

Troisième mois de mai sans maman. Je l'attends toujours. D'année en année, le couvercle se referme. Le silence est plus lourd. En moi, ce n'est pas clair du tout : je veux savoir où est maman, physiquement, à en mourir, et en même temps je voudrais rester comme ça, sans savoir. Depuis trois ans, je vis avec elle. J'ai treize ans mais j'ai dix ans. Pour rester avec ma mère, j'aurai toujours dix ans.

À son journal, il dit tout ou presque. Ce qu'il vivait, ce qu'il sentait, ce qu'il savait. Et peu à peu, à travers ses notes, une image se reconstitua insensiblement, comme en négatif : ce qu'il ne savait pas. Tout son être se tendit dès lors vers ce qu'il devait chercher, ce qu'il se devait de trouver. Ce qui était advenu à sa mère.

Journal de Joseph. 1er juin 1947.

Ce matin j'ai rencontré Sarah Lemel, à Saint-Didier où j'étais allé passer le dimanche avec mon père. Nous n'avons parlé de rien, je n'ai pas voulu. C'est Sarah qui m'avait emmené chez moi au magasin, ce jour de mai 44, après l'arrestation de maman. C'est même comme ça qu'on a su qu'elle avait été arrêtée. Tout le magasin était sens dessus dessous... Tout à l'heure, Sarah a commencé à me dire quelque chose au sujet de l'omelette froide qu'on avait trouvée dans une assiette. J'ai été brutal, je lui ai dit de se taire. Je n'ai pas voulu qu'elle me parle de tout ça. D'ailleurs je ne me souviens de rien et n'ai besoin de personne pour mettre de l'ordre dans ma mémoire. Ma mère, ma mère disparue un matin entre les cerisiers, et après ce n'est qu'un grand trou noir !

Il s'accrocha comme un noyé à tout ce qu'il pouvait entendre, glaner, sur les disparitions, fût-ce sans aucun sens. Et il le notait scrupuleusement, comme on reconstitue un puzzle pièce à pièce, avec l'espoir de discerner l'image un jour.

Journal de Joseph. 20 juin 1947.
Il paraît que certaines personnes ont été emmenées dans des camps au fin fond de la Sibérie et que là-bas il peut faire moins 30°. Plus 31° ici aujourd'hui. Et maman qui a peut-être si froid.

Il se mit à écrire régulièrement. Cela donnait un sens à sa souffrance. Louise l'encourageait gentiment. Fin juin, Joseph apprit par un camarade du lycée, Jean Jaeckel, que son père s'était marié. Sans rien lui dire. Les parents de Jean Jaeckel étaient aux noces. Joseph ne dit rien, fit celui qui savait mais ce fut comme si la foudre lui était tombée sur la tête.

Journal de Joseph. 1er juillet 1947.
Ce matin, à l'aube, je me réveille en même temps que le jour, torturé par la pensée de ce mariage. J'essaie de me rendormir. Impossible. Ça se culbute dans ma tête. Je pense à maman. Souffrance, souffrance énorme. Que dira-t-elle? Que dira-t-elle de cette trahison?

Le journal le soulagea un temps. Mais le soulagement était passager. C'était celui, fugace, de la confession. Dans le huis clos avec lui-même, il n'y avait pas de répit possible. Il se rappela un jour avoir entendu dire qu'après un choc on pouvait perdre la mémoire. Il se raccrocha à cette idée. Sa mère avait perdu la mémoire. Elle se trouvait probablement quelque part dans un hôpital. Sans mémoire de rien. Et si l'idée qu'il n'existait plus pour sa mère était torturante, elle l'était un tout petit peu moins que celle d'une disparition pure et simple de sa vie. Il y pensa tous les jours, cherchant à imaginer où. Où sur une carte, où, dans quel pays ? Il se plongea dans des cartes d'Europe et plus les jours passaient, moins le petit point hypothétique où aurait pu se trouver l'hôpital qui abritait sa mère était stable. Et puis, il disparut tout à fait, il n'y eut plus de point possible.

En août, ils repartirent tous comme chaque été au Grau-du-Roi. Joseph était plus sombre que jamais. Il restait la plupart du temps dans sa chambre, à lire. Louise ne parvenait que rarement à le traîner à la plage. Un matin, alors qu'il n'était pas encore descendu à midi, elle entrouvrit doucement la porte de sa chambre. Joseph était assis par terre sur le petit balcon devant sa fenêtre, il regardait la mer et les larmes ruisselaient sur son visage. À toutes ses questions, Louise n'obtint qu'un hochement de tête désespéré.

Journal de Joseph. 14 août 1947.
Pleuré comme un enfant. Sans pouvoir m'arrêter, toute la nuit, dans mon oreiller. Le sang me martelait la tête en une phrase obsédante : que dira-t-elle ? que dira-t-elle

quand elle reviendra? Plus je pleurais, plus le sang martelait fort. Non, elle n'a pas perdu la mémoire. Elle ne dira rien. Plus jamais rien. Plus jamais rien! C'est ce que dit le sang dans ma tête.

Mon père sait. Il sait quelque chose. Autrement, il ne se serait jamais remarié. Il sait quelque chose que je ne sais pas. Lui parler. Oser lui poser la question directement.

Il écrivit une gentille carte à son père, un peu pour préparer le terrain de leur future entrevue. Il reçut une réponse anodine qui fut pour lui une douche glacée.

Journal de Joseph. 28 août 1947.

Reçu ce matin une lettre désagréable de mon père: il me reproche de lui avoir écrit «cher papa» dans ma carte, sans avoir inclus dans ma formule sa femme, Esther. Je ne l'aime pas, cette femme! Je n'admets pas qu'elle se soit installée dans le magasin, qu'elle ait réorganisé les étagères, qu'elle ait échangé le vieux poêle à bois contre un moderne à charbon, qu'elle ait fait repeindre la devanture, qu'elle trône à la caisse comme si elle était la maîtresse de maison. Ma mère n'est pas morte, que je sache! Personne au monde ne pourra me dire le contraire.

Une nuit d'angoisse et de cauchemar, il descendit au salon et alluma la T.S.F. Une voix égrenait des noms, aux sonorités bien connues de Joseph : « On recherche : Youna et Rose Grynbaum, parties le 23 juin 1944, Deborah Wilter et son fils Daniel, partis le 18 mai 1944, Ilex Kaltenberg, parti le 4 juin 1944… » Il fut pris d'un étrange sentiment de familiarité. Il se sentait de plain-pied avec un monde perdu. Il n'aurait pu dire pourquoi. Il prit l'habitude de descendre chaque nuit, quand les autres étaient couchés. Il écoutait les interminables listes des disparus. Étrangement, cela l'apaisait. Souvent il s'endormait dans le fauteuil usé aux fleurs de velours panné en relief. C'est comme ça que Mme Boivent le trouva un matin tôt. La radio était allumée et diffusait un air à la mode. Joseph dit simplement qu'il n'arrivait pas à dormir, qu'il était descendu, et fut heureux que Mme Boivent n'ait entendu que la musique. Il se sentit néanmoins honteux comme s'il avait fait quelque chose de mal, comme si cette activité nocturne à laquelle il se livrait depuis maintenant deux semaines s'apparentait à quelque magie noire. Et c'était bien quelque chose comme ça.

– Viens, Joseph, on va rendre visite à ton père.

C'était toujours Louise qui faisait cette suggestion. On était dimanche, il y avait un car pour Saint-Didier à 14 heures. Elle insistait doucement :

– Tu verras, ça se passera très bien. Il faut que tu apprennes à apprécier ta belle-mère. Et puis je suis avec toi. On revient ensemble. On est ensemble pour longtemps, tu sais, Joseph...

Elle était la gentillesse et la grâce mêmes, Louise. Elle lisait dans les pensées les plus noires de Joseph et y répondait discrètement, sans qu'il ait eu besoin de rien dire.

C'était vrai, M. et Mme Boivent le lui avaient dit, il faisait partie de la famille, il grandirait avec eux s'il le souhaitait et si son père était d'accord. Manifestement, il l'était.

20 septembre 1947.

Été voir mon père et ma « belle-mère ». Il a fait comme si tout était absolument normal. S'est débrouillé pour que nous ne soyons pas seuls un instant. Juste au moment de se quitter, il m'a glissé avec un sourire qu'il voulait complice : « Va dire au revoir à ta belle-mère. » Écœurant. Toutes les questions que je roule dans ma tête depuis un mois s'y sont renfermées d'un coup. C'est sûr, je ne lui parlerai pas, pas à lui.

Au mois d'octobre, Louise dut être opérée de l'appendicite. Elle entra un lundi à la clinique Sainte-Apolline et Joseph se retrouva seul à la maison en proie au désespoir le plus profond. Dès le mercredi, il fut autorisé à lui rendre visite. Louise était gaie et heureuse de le voir. Elle ne souffrait pas. Joseph lui apporta un marron dans sa bogue, tout neuf, ramassé en venant dans le parc Saturnin. Ensemble, ils ouvrirent la bogue verte et admirèrent le parfait vernis du marron avec la ligne de démarcation entre le brun et l'ivoire. Joseph revint le lendemain. Le vendredi, il arriva trop tôt et, les soins aux malades n'étant pas terminés, il dut passer un bon moment dans une salle d'attente un peu triste. Sur une table basse s'amoncelaient de vieux journaux et magazines datés, lus, relus, tachés. C'est alors qu'il aperçut le gros titre en capitales grasses : « Ils reviennent de l'enfer ». Les mots lui sautèrent au visage. Il tira de dessous la pile un vieux magazine daté de janvier 1946. En première page, une mauvaise photo montrait un autocar de la Croix-Rouge, des brancardiers transportant une civière d'où émergeaient un bras, une tête sans regard, aux orbites noires, aux tempes creuses. Suivaient une dizaine d'hommes en pyjama rayé et deux femmes flottant dans leurs robes grises, qui semblaient des fantômes et cette impression d'outre-tombe n'était pas due au seul flou de la photo en noir et blanc. En dessous, une légende : « 20 décembre 1945 : arrivée à Paris, à l'hôtel Lutétia, de rescapés du camp d'Auschwitz. Pour dix rescapés, combien de centaines, voire de milliers de Juifs gazés puis brûlés dans les fours crématoires ? (lire en p. 4). »

Comme aimanté, Joseph se mit à lire l'article. Un rescapé témoignait : « Nous sommes arrivés le 15 janvier 43 à Auschwitz, après un voyage de cinq jours enfermés dans des wagons à bestiaux sans boire ni manger. Certains étaient déjà morts lorsque les Allemands ont ouvert les portes. Le quai était beaucoup plus bas que le wagon et il fallait sauter très vite sous les hurlements des SS. Beaucoup tombaient et se cassaient une cheville ou un bras. Il neigeait et le thermomètre devait être à 10° en dessous de zéro. Les Allemands ont fait deux groupes. Pendant que nous attendions, grelottant sous la neige avec notre paquetage, un groupe, composé surtout de femmes, d'enfants et de vieillards était immédiatement dirigé sur la gauche et disparaissait au bout du quai. On ne les a plus jamais revus. J'ai su très vite qu'au bout de ce quai, il y avait les chambres à gaz. »

Journal de Joseph. 18 octobre 1947.

J'ai mal. J'ai pleuré toute la nuit. Comme si j'avais dix ans. Comme le soir de mon retour chez les Lemel avec Sarah Lemel quand Sarah a raconté le magasin sens dessus dessous et l'omelette froide, et que Mme Lemel s'est mise à crier : « Je l'avais prévenue ! »

Louise rentra de l'hôpital le lundi suivant et avec elle la douceur. Simplement le droit de vivre. Il lui parla de l'article. Les yeux de Louise se remplirent de larmes. C'était la première fois qu'il la voyait ainsi. Son premier mouvement fut de vouloir la consoler. Mais elle dégagea doucement son épaule en secouant ses boucles brunes.

– Viens, Joseph, viens.

Elle lui prit la main et l'emmena dans leur cabane de planches au fond du jardin. Ils s'assirent par terre sur les feuilles mortes. « Joseph, mon Joseph… » Elle lui tint longtemps la main.

Plus tard, Joseph était assis dans son lit, raide, tendu, les yeux secs et fiévreux. Minuit était passé depuis longtemps. Le poêle s'éteignait lentement. Deux heures sonnèrent en bas, à la pendule du salon. Il savait maintenant où allait le train d'où sa mère n'avait pas voulu sauter. Et tout à coup, il se souvint. Tout revint à flot. Derrière la neige de l'hiver polonais sur le quai d'Auschwitz, lue dans l'article de journal, il y avait une autre neige, celle des fleurs de cerisiers. Il pouvait sentir leur odeur entêtante et fruitée.

Joseph vit un petit garçon qui gravissait un chemin rocailleux. C'était un matin de mai. Il faisait chaud et il tenait bien serrée dans sa petite main moite la main de sa mère qui l'empêchait fermement de tomber lorsque son pied glissait sur un caillou. Les cigales crissaient fort dans ses oreilles, au point qu'à un moment il avait demandé à sa mère si le bruit ne venait pas de l'intérieur de sa tête. Elle avait ri et s'était agenouillée sur le talus où fleurissaient le thym et la chicorée bleue pour lui montrer la gerbe de cigales qui avaient sauté de toutes parts. La pente se faisait plus raide. Et tout autour, les cerisiers. Des flocons blancs qu'une brise faisait voltiger.

Tout se déroulait à présent comme une bobine de fil dans la mémoire de Joseph. Les sensations revenaient, vivantes, extraordinairement intenses et heureuses. Sa mémoire s'épanouissait d'un coup, posément, magnifiquement, comme une fleur aquatique à la surface de l'eau. Lui, il était sur la rive et regardait le phénomène en spectateur. C'était sans douleur, au contraire. Des images libératrices qui imposaient un soulagement tranquille. Joseph avait fermé les yeux, s'efforçant de toute son âme de garder ce fil ténu qui le conduisait là où il devait aller, là où il cherchait à aller depuis trois années.

À un moment, le petit garçon et sa mère arrivèrent sur un plateau. La brise devint plus forte et les flocons tourbillonnaient comme de la neige. Le petit Joseph était heureux. Il serra plus fort la main de sa mère. Ils s'étaient assis au pied d'un cerisier pour souffler. Il avait cueilli une grosse boule de résine rouge qui suintait sur le tronc lisse et l'avait malaxée longtemps entre les doigts. Plus tard, ils s'étaient émerveillés ensemble devant une pierre blanche qui semblait porter un coquillage et sa mère lui avait expliqué l'ammonite antédiluvienne. À présent, le soleil frappait la pierraille qui rendait comme une lointaine odeur de feu, indéfinissable, quelque chose comme l'équivalent olfactif du crissement des cigales. Ils étaient arrivés dans une ferme, au bout du monde. Au-delà, il n'y avait rien que les montagnes. Les cerisiers s'arrêtaient là, devant la vaste entrée d'une cour de ferme. Un porche magnifique, ovale, une grande porte de bois ouverte à deux battants.

Ils furent accueillis comme des membres de la famille par un couple entre deux âges et trois grands garçons dont le plus jeune devait avoir quatorze ans. Joseph ne les connaissait pas mais sa mère semblait déjà avoir rencontré la femme et elles se parlèrent avec chaleur. La cuisine était sombre et fraîche et on servit le sirop d'orgeat autour de la grande table en noyer. Le dernier des garçons s'appelait Fernand, et Joseph passa l'après-midi avec lui. En fin de journée, Fernand avait attelé le mulet pour aller charger de vieux ceps de vigne à ranger sous le hangar à bois. En revenant par le chemin aux cerisiers, une bête avait détalé sous les pieds du mulet qui avait pris peur et s'était emballé. Fernand s'était alors jeté sur son dos, avait réussi à ramper jusqu'à l'encolure et à attraper les guides tout près de la bouche du mulet. Puis il avait sauté à terre et réussi à arrêter l'animal. Cet acte d'héroïsme avait achevé de conquérir Joseph.

Lui et sa mère passèrent la nuit sur des matelas rembourrés de paille, à même le plancher d'une chambre fraîche et aérée qui sentait le foin et le tilleul. Joseph s'endormit en regardant les étoiles par une fenêtre à laquelle manquait un carreau. Quand il s'éveilla, il faisait grand jour, il était seul dans la chambre. Il trouva sa mère à la cuisine qui parlait avec animation.

– Vous ne devez pas descendre, disait Mme Faure. Les Allemands sont partout maintenant. Ils sont à la chasse. Il y en a même à Moutiers, l'épicière l'a dit à mon mari !

– Je ne fais qu'un aller et retour, disait sa mère. Si nous devons rester ici quelques semaines ou quelques mois, autant que nos affaires y soient aussi.

Anna s'obstinait. Elle devait redescendre, reprendre l'autocar, retourner au magasin, chercher quelques affaires essentielles.

Elle y passerait la nuit et serait là demain à midi au plus tard.

– Au moins, laissez le petit, disait Mme Faure. Et regardant son mari en hochant la tête : S'il arrivait quelque chose…

Joseph ne se le fit pas dire deux fois. Il y avait Fernand, ce nouvel ami, son héros de la veille.

Anna partit à la fin de la matinée avec un quignon de pain, deux œufs durs et une pomme dans son sac de toile. Au moment de quitter Joseph, elle se rappela qu'il manquait un bouton à son gilet, sortit de sa poche un bouton de cuivre et le lui glissa dans la main :

– Va vite le serrer dans la boîte à côté de

mon matelas, des fois que je le perde en route. Je te le recoudrai demain !

Elle serra fort son fils dans les bras en disant : « Sois sage ! » et disparut, légère, entre les cerisiers en fleur.

Louise trouva Joseph, grelottant dans sa chambre, au petit matin. La lumière était allumée et le poêle à bois était froid depuis longtemps. Il était assis tout habillé sur son lit, les yeux dans le vague. Louise glissa une couverture sur ses épaules et s'assit sur le lit à côté de lui. Elle ne le questionna pas sur sa nuit. Au bout d'un moment, elle lui demanda simplement :

— Qu'est-ce que tu serres dans ta main, là, Joseph ?

Joseph eut un pauvre sourire et ouvrit lentement la main.

— Ce n'est rien. Un bouton de cuivre qui a appartenu à ma mère.

Table des matières

Passionnée de musique, **PAULE DU BOUCHET** a enseigné la philosophie puis s'est orientée vers l'édition jeunesse et l'écriture. Responsable du département musique de Gallimard Jeunesse et de la collection de livres lus « Écoutez lire », elle a signé de nombreux romans, des documentaires et des albums pour enfants.

Romans chez Gallimard Jeunesse :

68 ANNÉE ZÉRO
JE VOUS ÉCRIRAI
MON AMIE SOPHIE SCHOLL
CHANTE LUNA
À LA VIE À LA MORT
LE JOURNAL D'ADÈLE
COMME UN OURS EN CAGE
DANS PARIS OCCUPÉ
AU TEMPS DES MARTYRS CHRÉTIENS

Et pour les adultes :

DEBOUT SUR LE CIEL (Gallimard)
EMPORTÉE (Acte Sud)

Le papier de cet ouvrage est composé de fibres naturelles,
renouvelables, recyclables et fabriquées à partir de bois
provenant de forêts gérées durablement.

Maquette : Françoise Pham
Photo de l'auteur © D.R.

ISBN : 978-2-07-056008-0
Loi n° 49-956 du 16 juillet 1949
sur les publications destinées à la jeunesse
Dépôt légal : avril 2020
Premier dépôt légal dans la collection : janvier 2016
N° d'édition : 370008 – N° d'impression : 244379
Imprimé en France par Maury Imprimeur - 45330 Malesherbes